<터키 여행기 1: 이스탄불 편>

허망을 일깨우고…….

송근원

〈터키 여행기 1: 이스탄불 편〉

허망을 일깨우고…….

발 행 | 2021년 12월 12일

저 자 | 송근원

펴낸이 | 한건희

펴낸곳 | 주식회사 부크크

출판사등록 | 2014.07.15.(제2014-16호)

주 소 | 서울특별시 금천구 가산디지털 1로 119 SK트윈타워 A동 305호

전 화 | 1670-8316

이메일 | info@bookk.co.kr

ISBN | 979-11-372-6539-4

www.bookk.co.kr

ⓒ 송근원 2021

머리말

우리는 떠난다. 미지의 세계로, 아니 잊혀 진 세월을 찾아서.

터키는 먼 옛날, 아니 그렇게 먼 옛날도 아니다, 옛 고구려와 이웃하여 살던 돌궐족이었다. 같은 동이족의 일파로서 혈연적으로는 우리와 아주 가까운 민족이다. 지금은 비록 백인들처럼 변하였지만.

돌궐족은 서쪽으로 이동하면서 서아시아와 동유럽을 지배하는 대제국을 건설하였다.

소수 기마민족이 속도전을 통해 유럽을 정복하고 그들과 어울려 살면서 인종적으로는 결국 다수인 그들에게 동화되긴 했지만, 그리고 정복한 여러 민족들을 지배하면서 코스모폴리탄적 사고 정향을 띠게 되었지만, 아직도 터키에는 우리 옛말의 흔적이 남아 있고, 옛 동이의 풍속이 남아 있다.

6세기 중반 돌궐족은 동북아시아로부터 페르시아에 이르는 제국을 세웠으나, 당 나라의 세력이 커지자 중앙아시아 지역에 자리를 잡게 된다.

최초의 무슬림 왕조인 셀주크 터키는 11세기경부터 13세기 말까지 중앙아시아와 중동 일대를 다스렸으나, 몽골의 세력 확장에 따라 몇 몇 토후국으로 분할되었다.

이후 오스만 가문을 중심으로 서쪽의 모로코부터 동쪽의 아제르바이잔, 북쪽의 우크라이나에서 남쪽의 예멘에 이르는 광대한 영역을 지배하는 오스만 터키제국을 세운다.

15세기 초, 오스만 터키는 발칸 속국들을 직접 통치하고, 특히 1453년 비잔티움 제국의 수도인 콘스탄티노플을 정복하여 유프라테스 강(동쪽)과 헝가리(서쪽)까지 영토를 넓혔으며, 16세기 후반에는 그 세력이 절정에 달해 발칸 제국과 중부 유럽의 헝가리, 중동, 북아프리카 지역 대부분을 포함하는 대제국을 건설했다.

18세기 초에는 오스트리아가 헝가리에서 투르크족을 축출했으며, 18세기 말에는 러시아가 크리미아를 합병하였고, 19세기 초에는 그리스가 영국의 지원을 받아 독립하였다. 19세기 말에는 루마니아, 세르비아, 몬테네그로가 독립하였으며, 20세기 초에는 불가리아, 알바니아가 독립하였다.

한때 유럽과 아시아, 아프리카를 호령하던 터키가 1차 세계대전 때 동맹국 편에 섰다가 전쟁이 끝나면서, 연합국의 압력에 따라 독일 제국, 오스트리아-헝가리 제국, 오스만 제국이 해체되어 유럽 및 서남아시아의 지도에 새로운 독립 국가가 생기게 되었고 현재의 국경선이 그어졌다.

비록 그들의 외양은 비록 백인을 많이 닮아 있지만, 자기들 역사를 잊지 않고 우리를 형제의 나라라 부르며 그 역사에 대한 자부심이 대단하다.

현 터키의 영토인 발칸 반도 일부와 아나톨리아 반도에는 여러 문화가 혼재되어 있는 곳이다.

흔히 그리스로마 문명의 유적이 그리스나 이탈리아에 있는 것처럼 생각하기 쉬우나, 그리스 로마 유적의 대부분은 아나톨리아 반도에 있다.

기독 문화와 이슬람 문화의 공존, 폭 넓은 관용과 친절, 그리고 그 속에서 다른 한편으로는 우리의 옛말과 풍속 등을 찾아볼 수 있는 곳, 그곳이 터키이다.

이 책은 터키를 여행하면서, 이것저것 보고 느낀 것을 적어 놓은 것이다.

그 가운데, 〈터키 여행기 1〉에서는 주로 이스탄불을 중심으로 보고 느낀 것을, 〈터키여행기 2〉에서는 파묵칼레, 괴뢰메, 그리고 아나톨리아 반도에 남아 있는 로마 유적들을 여행히면서 겪고 느낀 것을 적어 놓은 것이다.

이스탄불은 동서 문명이 혼재하며 융합된 곳이라서 정말 볼거리가 많은 곳이다.

한편, 동화 속의 풍경이랄 수밖에 없는 괴뢰메(카파도키아)와 파묵칼레의 풍광은 물론, 트로이의 목마부터 시작하여 로마의 신화와 전설이 얽혀 있는 옛 로마 유적들 역시 다시 한 번 여행하고픈 곳들이다.

이러한 로마 유적들을 하나씩 찾아가며 여행을 하다 보면, 성서에 나오는 베르가몬, 서머나, 에베소, 필라델피아(알라세히르), 안티옥 등을 저절로 여행하게 된다. 곧, 아나톨리아반도에 있는 성지 순례가 저절로 이루어지는 셈이다.

물론 완벽한 성지 순례를 하려면, 그리스, 시리아, 레바논, 이스라엘, 요르단, 이집트 등지를 모두 둘러보아야 하지만, 이 터키 여행기에서는 터키에 있는 성지만 나온다.

그렇지만, 이 여행과 이어지는 〈시리아 요르단 이집트 여행기: 사막을 경험하면 낙타 코가 된다.〉를 이어 보시면, 시리아와 요르단, 그리고 이집트의 성지 등도 여행할 수 있을 것이다.

읽는 분들 가운데 이스탄불에 오신다면, 〈터키 여행기 1〉이 도움이 될 것이고, 옛 로마 유적이나 성지 순례에 관심이 있는 분들이라면 〈터키여행기 2〉가 큰 도움이 될 것으로 믿는다. 물론 터키 여행에서 터키의 기이한 풍경들인 파묵칼레나 괴뢰메 관광은 빠지지 않는 필수 코스인데, 이는 〈터키여행기 2〉에 수록되어 있다.

이 책들이 조금이라도 독자들에게 도움이 되었으면 한다.

터키를 즐기시기 바라며.

2007년 여행한 것을 2015년 정리하여 묵혀둔 것을
2019년 부크크에서 전자책으로 출판하고
2021년 종이책으로 출판하다.

솔뜰

차례

소피아 박물관

이스탄불

돌마바흐체: 모스크

룸멜리 요새

1. 터키인은 시간을 소중히 여기는 사람들?

2007.2.19 월

터키에 도착했다.

불가리아 국경을 넘으니 이제 터키이다.

아직 EU에 가입되기 전이라 그런 건지는 모르되 불가리아 국경을 넘어선 후 다시 세 군데의 검문소를 통과해야 한다.

국경에서 다른 나라에서처럼 여권과 자동차 소유증, 그리고 보험증서를 주고 한참을 기다리니 여권에 도장을 찍어주는 것 같다.

그리고 한 100여 미터 가니 또 다른 검문소가 보이는데 경찰 통제소(police control)라고 쓰여 있다.

불가리아-터키 국경: 이곳을 통과해 세 군데를 더 지나야 한다.

이스탄불 바흐체세히르

2

차를 몰고 가니 검문소 안에서 통과하라고 손짓을 하는 것 같아 통과하자 옆에 면세점 건물이 있다.

주내가 화장품 몇 가지를 사고 싶어 해 차를 세워 놓고 들어가 이것저것 살핀다.

그곳을 나와 가다보니 다음 검문소가 또 있다.

여긴 알고 보니 세관이다.

차들이 죽 늘어서 있는데 그곳을 통과하니 차를 세우고 다시 여권과 차 소유증 등을 요구한다.

그리고는 자동차 뒤 트렁크를 열어보라 한다. 보니 다른 차들이 전부 다 트렁크를 열어 놓고 짐 검사를 받고 있다.

대충 훑어보더니 여권을 보면서 경찰 통제소(police control)에서 도장을 받아와야 한다고 한다.

다시 되돌아가 도장을 받아온다.

그리고 다시 기다렸다가 세관을 거쳐 마지막 검문소에 이르렀다. 여기에서 다시 또 여권과 차 소유증 등을 보자 한다.

한 군데에서 다 하면 편리할 텐데……. 참 비능률적이다 싶다.

그러나 터키인들은 우리에게 우호적이다. 한국에서 왔다는 것을 알고 매우 친절하다.

곧 이어진 고속도로를 달린다.

여기 고속도로는 왕복 6차선으로 곧게 길이 잘 뚫려 있다.

조금 있으니 고속도로 표 뽑는 곳이 나온다.

고속도로는 시속 120km가 정규 속도인데 차들이 하나도 보이지 않는다.

1. 터키인은 시간을 소중히 여기는 사람들?

그러더니 언제 나타났는지 뒤에서 150km 이상의 속도로 차 하나가 추월해 지나가 버린다.

조금 있자니 역시 시속 150km 이상의 속도로 차들이 추월해 지나가버리고 또다시 고속도로는 텅 빈다.

역시 터키인도 기마민족의 후예답다. 고구려 때 이웃하여 함께 살던 돌궐족이 중동과 유럽을 정복하고 세운 나라라서 그럼 모양이다.

허긴 길이 좋으니 150km 이상의 속도로 달려도 별 문제는 없어 보인다.

그렇지만 어제 불가리아에서 속도위반 경험이 있어 그냥 120km로 달린다. 학습 효과가 아직 남아 있는 것이다.

국경 도시인 에디른(Edirne)을 지난 지 1시간이 좀 지나 이스탄불 근교에 이르자 허허벌판이던 곳에 산이 나타난다.

그리고 차들이 졸지에 많아지기 시작한다.

그렇지만 속도에는 변함이 없다.

산마다 산등성이에 나무는 보이지 않고 집들만 다닥다닥하다. 완벽한 달동네이다.

집들은 허름하게 빽빽이 들어서 있고 동네마다 삐쭉 솟은 첨탑을 옆에 낀 모스크가 있다.

고속도로는 산의 능선을 따라 가다가 산과 산 사이에 연결된 다리를 지나 이스탄불로, 그리곤 다시 보스포러스 해협을 넘어 앙카라로 이어진다.

고속도로가 산 위에 있으니 집들은 거의 모두가 발아래 있는 것처럼 보인다. 한편 산 밑에는 집을 짓지 않아 야산 그대로 있는 곳도 있다.

이스탄불 바흐체세히르

4

다리 밑으로 보이는 집들

이들은 집을 산꼭대기부터 짓는 습성이 있는 것 같다. 그러니 산 아래 평지는 남겨두고 산 위에 다닥다닥 집들이 붙어 있는 것이다.

아마도 공격과 방어에 유리한 곳에 집을 짓던 저들의 유습이 아직도 남아 있는 것이리라.

그러니 절대로 홍수 피해는 없을 것이다.

소설 속에서 읽던, 그리고 영화에서 보던 이스탄불(İstanbul)의 옛 이름은 비잔티움(Byzantium), 그리고 콘스탄티노플(Constantinople)이다.

그 어떤 이름도 낭만적이었고, 그래서 아름다운 도시를 연상하였는데…….

1. 터키인은 시간을 소중히 여기는 사람들?

완전히 산등성이에 다닥다닥 붙은 달동네로 이루어진 곳이라니!

공식 인구가 1,300만이고, 유동 인구까지 합치면 1,500만이 복작되는 곳이니 말하면 무엇 하겠는가!

낭만과 허망이 순식간에 날아가 버리고 현실이 자리를 잡는 순간이다.

물어물어 이번 한 학기 동안 있을 바흐체세히르(Bahçeşehir) 대학교로 찾아가는데 이건 정말 장난이 아니다.

고속도로에서 전혀 보이지 않던 차들이 이곳에 다 몰려 있는 것이 아닌가! 사람도 많고 차도 많다.

게다가 운전 습관이 우리나라 경기도 사람들보다 니으면 나있지 전

바흐체세히르 대학교

이스탄불 바흐체세히르

6

혀 못하지 않다. 끼어들기는 예사이고, 아예 교통 규칙은 없는 것이나 마찬가지이다. 사람들도 빨간 불인데도 전혀 개의치 않고 거리를 무단 횡단하는 것은 예사이고……

그렇다고 유럽에서처럼 자동차가 길 건너는 사람을 봐주는 것도 아니다.

한국에서는 사람이 차를 보며 건너는데 여기는 한국도 아니고 유럽도 아닌 것이다.

차는 차대로 사람들은 사람들대로 제멋대로이다. 순경이 옆에 있건 없건 자유다.

사람이건 차건 파란 불 나올 때까지 기다리는 건 정말로 시간 낭비인 것이다.

무지무지하게 복잡해도 이들에게 기다림은 없다.

아마도 터키인들은 시간을 엄청 소중히 여기는 사람들인 모양이다.

허긴 그래야 교통이 원활히 소통되는 것 같기도 하다.

신호와 관계없이, 차가 막히면 사람이 건너고, 길이 뚫리면 차가 달리고, 그리고 조금 바쁜 사람(사실 바쁜 일도 없는 것 같은데)은 차가 달려와도 눈치껏 요리조리 피해 길을 건너고, 그러면서 교통이 물 흐르듯 흐르는 것이다.

처음에는 이런 현상이 뜨악했지만, "로마에서는 로마인이 하는 대로 하라"는 말도 있으니 우리도 이제는 막 다닌다.

이 대학은 베식타쉬(Beşiktaş)라는 지역에 있는데 보스포러스 해협 건너 아시아 땅을 마주보고 서 있는 도심 속의 학교이다.

바닷가 경치 좋은 곳에 자리 잡고 있어 호텔을 세우면 딱 좋을 것

1. 터키인은 시간을 소중히 여기는 사람들?

보스포러스 해협, 다리 건너 아시아 쪽 마을

이라는 생각이 든다.

차를 몰고 간신히 학교 옆 주차장에 세운다.

그리고 학교로 들어가니 경비들이 전화를 걸고 조금 있으니, 바투, 무라트, 바세르, 야세민, 아이쉐 등, 이 대학 국제교류처 직원들이 떼로 나와 반갑다고 인사를 한다.

이제 마음이 놓인다.

그리고 우선 바다가 있어 좋다.

머물 집은 바흐체세히르라는 지역의 기숙사라는데 이곳에서 한 시간 거리에 있다.

원래 이 대학은 이스탄불 외곽의 부자 동네인 바흐체세히르에 있었

바흐체세히르 기숙사

는데 베식타쉬로 옮긴 거라 한다.

바투와 무라트를 앞세워 숙소에 짐을 내려놓고 바로 밥을 먹으러 간
다.

터키 음식인 케밥을 먹는데 향료가 입에 익지 않아 조금은 역겹다.
노란 색깔의 스프는 입에 맞는다.

음식점에선 술도 팔지 않는다.

억지로 배에 집어넣고 숙소로 돌아와 짐을 푼다.

1. 터키인은 시간을 소중히 여기는 사람들?

2. 먹는 게 이렇게 힘들 줄이야……

2007.3.1 목

점점 터키가 좋아진다.

적응이 되어가는 것인가?

숙소인 기숙사는 호텔처럼 되어 있다.

매일 청소도 해주어 너무 좋은데 나쁜 것은 부엌이 없어 음식을 해 먹을 수가 없다는 점이다.

처음 일주일 동안은 정말 먹는 것이 고역이었다.

점심은 학교 근처에서 해결하는데 터키 음식이 별로 입맛에 맞지 않는 것이다. 향료 냄새가 익숙하지 않은 탓이다.

탁심 광장의 동상

이스탄불 탁심

터키 음식은 대부분 그릴에서 바로 구운 것이어서 사실은 숯불구이와 다름이 없는 것인데, 고기에 양념을 바른 것이 입맛에 잘 맞지 않는 모양이다.

한번은 서울의 명동과 같은 번화가인 탁심(Taksim)에 가 닭고기구이를 시켰는데, 이것이 맛이 괜찮았다.

함께 나온 고추는 약 20cm 정도로 구불구불 긴 것이었는데 이것 역시 구워서 준다. 먹어보니 맛이 있다. 우리나라 고추와 거의 다름이 없다.

그렇지만 매일 닭만 먹을 수는 없을 것이고, 게다가 말을 모르니 음식을 먹으려면 눈에 보이는 곳으로 찾아가야만 하니…….

베식타쉬: 대학 근처 시장

2. 먹는 게 이렇게 힘들 줄이야…….

하루는 학교 근처에 있는 조그만 수산물시장 근처에서 고등어구이 같은 것을 판다는 말을 듣고 찾아가 고등어구이와 삼치구이를 시켰는데 우리나라에서처럼 맛있지는 않다.

음식은 우리나라가 정말 최고다.

하루 세 끼 먹는 것이 이렇게 힘들 줄이야!

특히 토요일, 일요일에는 기숙사에서 차를 끌고 나와 사 먹어야 하는데 어디에 음식점이 있는지도 잘 모르고 음식도 입에 맞지 않아 먹는 것 때문에 난생 처음 정말 고생했다.

기숙사에서 7-800미터 떨어진 곳에 몰(mall)이 있는데, 그 지하에 피자집과 버거킹이 있어 그곳에 가 피자를 사 먹거나 와퍼(햄버거)를 사 먹는 것이 그나마 입맛을 맞추어 주는 것이었다.

그렇지만 음식값이 결코 싸지 않다. 한 번 먹는데 보통 8리라 (6,000원)가량 드니 비싼 셈이다. 햄버거 세트 하나에 5,000원 가량이니 한국보다 비싸다.

기숙사에는 한국 학생들이 5명 있다.

명지대에서 온 학생 셋과 경성대 학생 둘이다.

애들에게 물어보니 전기풍로를 사서 몰래 해 먹는다 한다.

이놈들이 정말 고생하는구나 싶다.

나중에 무라트가 이야기해 주어서 알았는데, 이 기숙사에서 약 1.5km 떨어진 곳에 옛날 대학으로 쓰던 건물이 있고--지금은 기술계 고등학교로 쓰고 있다--그 건물 안에 카페테리아가 있어 외국 학생들은 여기에서 식사를 무료로 먹을 수 있다고 한다.

우리 역시 그곳에서 식사를 해도 된다고 한다.

이스탄불 탁심

성 소피아 사원

그렇지만 우리 학생들은 잘 이용을 하지 않는다.

물어보니 음식이 괜찮은데 가끔가다 이상한 냄새가 나는 음식이 있어 잘 안 간다 한다.

우리가 이용해보니 음식은 깔끔하고 비교적 입에 잘 맞아 저녁은 주로 이 식당을 이용하기로 했다.

물론 불가리아의 코프리브슈티차에서 사 온 브랜디를 작은 병에 담아 가지고 다니면서 식사 때마다 반주를 하면 훨씬 음식을 먹기가 쉽다.

음식점에서는 보통 팁을 10퍼센트 정도 주는 것이 관례라는데 학생들의 경우에는 내지 않는 경우가 대부분이다.

2. 먹는 게 이렇게 힘들 줄이야…….

 이곳저곳에서 먹다보니 학교 부근 고가다리 밑의 음식점이 맛이 있어 그 후론 그곳만 주로 이용하곤 하였는데 학생들이 주로 이용하는 곳이라서 음식값도 싸고 맛도 좋다.

 주스 한 잔을 시키면 오렌지나 당근을 직접 갈아서 짜 주는데 2리라(1,400원)이고 햄버거 종류가 3리라(2,000원), 접시에 닭이나 고기 튀긴 것과 밥, 감자튀김, 야채, 고추장(우리나라 다대기 비슷함)을 접시에 담은 음식들이 4-5리라(3,000원), 샐러드가 1.5리라(1,000원)이다.

 주스는 정말 맛있고, 햄버거 종류나 닭튀김 요리 등도 맛있고, 고추장도 맛이 괜찮다.

 그리고 보통 둘이 실컷 먹어도 20리라(14,000원) 미만이다.

보스포러스 해협 건너 아시아의 땅

이스탄불 탁심

14

바다에서 본 바흐체세히르대학교

팁은 학생들 음식점이라서 그런지 계산대에 팁 통을 놓아두었지만 우리 이외에는 넣는 것을 별로 보지 못했다.

학교에서는 음식점 카드(meal card)라며 카드를 하나 준다.

하루에 25리라(17,000원) 정도 먹을 수 있는 카드라면서 카드에 쓰여 있는 '패스 카드'라는 그림이 있는 음식점에서 식사를 하고 카드로 계산하면 된다고 한다.

참으로 고마운 일이다.

이 학교에서 대외관계 일을 맡은 교직원에게 지급하는 것인데 교환교수인 나에게도 이런 혜택을 주는 것이다.

엊그제 처음 사용하여 보았는데 3월 한 달치인 525리라(35만 원

2. 먹는 게 이렇게 힘들 줄이야…….

가량)가 입금되어 있고 거기에서 그날 먹은 음식값이 빠져 나가게 되어 있다.

아침은 집에서 사 놓은 시리얼과 우유, 그리고 달걀 프라이 하나를 먹고, 점심은 패스 카드를 쓰고, 저녁은 대학교 식당에서 무료로 먹으니 돈 들 게 없다.

그냥 앉아서 공부만 하면 된다.

주내는 밥 안 해도 되고 청소 안 해도 되고 그렇다며 이곳이 너무 좋아진다고 한다.

이것 참 큰일이다!

패스 카드 역시 먹는 것 이외에 다른 데에서는 쓸 수가 없으니 실 컷 먹어도 돈이 남을 것 같다.

이스탄불 탁심

3. 우리와 비슷한 민족

2007.3.2 금

터키 사람들은 우리나라 사람들과 비슷하다.

외모가 서구화되어 있고 덩치가 큰 것 빼고는 하는 행동이나 사고방식이나 말이나 우리와 비슷한 점이 너무 많다. 옛날 고구려 때 이웃하여 살던 돌궐족이 이곳으로 건너와 대제국을 건설하였으니 자부심도 또한 대단하다.

이들의 말이 우랄 알타이어계에 속하기 때문에 어순이 우리와 같다는 것은 당연한 것이고, 아라비아어, 라틴어 등 잡다한 말들이 끼어들어 많이 변하긴 하였으되 어찌 보면 생각보다 우리말과 훨씬 더 가까운 것

성 소피아 사원(박물관)

3. 우리와 비슷한 민족

같다.

예컨대, 우리
나라에서 100을
의미하는 '온(on)'
이라는 말이 여기
에서는 10을 의
미한다.

지금도 '온 세
상', '온갖 것' 할
때 쓰고 있는 '모
든'이라는 뜻의
그 '온'이다.

이것이 한자
로는 '완(完)' 또
는 '만(萬)'으로
표시된다.

블루 모스크의 뽀족 탑

중국 사람들이 저희들의 임금 앞에서 "완세 완세 완완세(萬歲 萬歲 萬萬歲)"라고 하는 것이나, 옛날에 전주를 완산으로 표시한 것이 다 '온'을 한자로 표현한 것이다.

호박을 '카박(Kabak)'이라 하고, '검다'를 우리 옛말과 같은 '카라(kara)'라 하며, 산 역시 우리 옛말과 같은 '닭(dağ: ğ는 'ㄹ'과 'ㄱ'이 섞인 소리로서 목구멍을 긁어내는 소리로서 'ㄹ'은 약하게 발음되고 'ㄱ'은 'ㅋ'과 'ㅎ'의 중간 소리 비슷하다)'이라 한다.

이스탄불 블루 모스크

'검다'는 것은 우리 옛말이 아직도 살아 숨 쉬고 있는 일본 말로는 '구로'이며, '산'은 '다케'이다.

한편 '닭'은 후기에 '닥, 덕, 둑'과 '달, 돌'로 분화되었는데, 앞의 것은 현대 우리말의 언덕, 둔덕, 논둑 등 '덕, 둑'에서, 뒤의 것은 월출산 월악산 등 달 월(月)로 표기된 많은 돌로 된 산 이름에서 그리고 그 잔형을 발견할 수 있다.

또한 돌섬의 강원도 경상도 방언인 독섬을 한자로 표기한 독도(獨島)에서도 '닭, 돍'이 '닥, 다케, 독/달, 돌'로 분화되었음을 알 수 있다.

또한 지우개를 '씰기(silgi: '쓸다'에서 나온 말)'라 하는 등 많은 말들이 뿌리를 찾아보면 비슷한 점을 발견할 수 있다.

이 이외에도 이들은 서양말에는 없는 우리말의 'ㅡ' 발음이 나는 알파벳을 사용한다. 알파벳 i에서 위의 점을 뺀 것이 우리말의 'ㅡ'에 해당한다.

터키어를 배울 때에는 가끔 점 있는 'i'와 점 없는 'ı'를 혼동하는 경우가 많다.

이들은 대부분 '알라 신'을 믿는 모슬렘이지만 종교에 그렇게 철저하지 않은 것도 우리와 닮았다. 하루에 다섯 번씩 메카를 향해 앉아 기도하는 사람들이 더러 있겠지만 대부분은 그렇지 않다.

아랍 세계의 정통 모슬렘과는 전혀 다른 것이다.

차를 끌고 다니다 보면 끼어들고, 빵빵거리고, 비키라고 뒤에서 하이빔을 켜서 깜박이고, 그러면서도 갓길로 달려와 끼어드는 차를 너그럽게 받아들이기도 하는 것 등등이 우리와 너무도 닮았다.

외국 사람을 좋아하고 외국인에게는 매우 호의적이지만, 자기들끼리

3. 우리와 비슷한 민족

는 치고받고 싸운다는데 그 사는 모습 또한 우리와 비슷하다.

또한 시간 안 지키는 것도, 얼렁뚱땅하는 것도 우리와 어쩜 그리 닮았는지……. 예컨대, 복사를 부탁해 놓고 10시에 찾으러 오라 해서 갔더니 제본은커녕 아직 복사도 안 해 놓았다.

12시에 다시 오라 하여 12시에 갔더니, 아직도…….

대부분의 음식점에서 빵은 기본으로 가져다주며, 빵값은 따로 받지 않는 것이 보통이다.

이런 점도 우리나라와 흡사하다.

밥에 대한 인심이 후한 것 역시 서로 닮은 것이다.

그리고 이곳 빵은 동구권의 빵과는 달리 잼이나 버터를 바르지 않고

블루 모스크

이스탄불 블루 모스크

20

그냥 뜯어 먹어도 아주 맛이 있다.

이들은 성격이 급하다. 특히 부산 사람들 성격과 너무 많이 닮은 것 같다.

그렇지만 싸움이 붙으면 말로 싸우고 욕설을 하다가 멱살을 잡고 다른 사람들이 말려주기를 기다리는 예의 바른 우리나라 사람들의 싸움과는 달리 우선 손부터 올라간다고 한다.

실제 오늘 아침 싸우는 것을 보았는데 그 성질이 참으로 대단하다.

옆에서 말리는 데에도 당사자들은 계속 싸워야겠다고 시끌벅적한 것이 역시 돌궐족의 후예답다.

저런 기질이니 유럽 대륙을 600여 년이나 지배하지 우리나라 같으

블루 모스크 내부

3. 우리와 비슷한 민족

블루 모스크 입구

면 어림없을 것이다.

그렇지만 어느 것이 더 좋은 것인지는 알 수 없다.

군자의 나라로 행세하면서 남의 지배를 받으며 견디고 살아남아야 하는 것이 더 나은 것인지, 공격적으로 상대방을 빼앗으며 그 위에 군림하면서 생존하는 것이 더 나은 것인지?

여하튼 이들은 옛날에 같이 살던 사람들이어서 그런지 우리나라를 형제의 나라라 부르며 좋아한다.

연개소문이 돌궐족 출신이라는 말을 들었는데 이들도 이런 사실을 아는지 모르겠다.

어찌 되었든 이들은 자신들의 조상에 대해 자부심만큼은 대단하다.

이스탄불 블루 모스크

4. 블루 모스크에서 손발을 씻고

2007.3.3 토

오늘은 무라트가 시내 구경을 시켜준다고 한 날이다.

아침 10시 반에 만나기로 했는데 비가 흩뿌리기 시작한다.

비가 와서 갈까 말까 망설이는데 무라트가 택시를 불러 놓아 올라타고 버스 타는 곳으로 간다.

급행버스는 완행버스의 두 배 요금이라고 한다.

이 버스는 바흐체세히르에서 베식타쉬 근처로 가는 버스라는데, 창에 가리개를 해 놓아서 밖을 볼 수 없어 갑갑하다.

시내에서 내려 다시 전철을 갈아타고 내린 곳은 그랜드 바자르이다.

그랜드 바자르

그랜드 바자르

그랜드 바자르는 말 그대로 엄청 크다. 동서남북으로 가게들이 이어져 있고 통로가 많아서 길을 잃기 쉽다고 한다.

천정이 있어 여기에 들어서니 다행히 비는 맞지 않는다.

시장 안이 휘황찬란하다.

무라트 말로는 이곳에서 못 구하는 물건은 없다고 한다.

제대로 구경을 하기엔 너무 시간이 지체되니 블루 모스크 쪽으로 시장 안을 그저 걸어서 가로질러 가는데 좌우가 전부 금은방이다.

가로질러 시장 밖으로 나오다가 우산을 하나 사 들면서 보니 바로 모스크이다.

일단 식사를 하기로 했다.

이스탄불 블루 모스크

블루 모스크 옆의 무덤

4. 블루 모스크에서 손발을 씻고

무덤들

이스탄불에서 미트볼(우리나라 떡갈비 비슷한 음식)만을 가장 맛있게 한다는 음식점으로 간다.

가보니 지난주에 와 보았던, 향료 냄새 때문에 별로 잘 먹지 못했던, 바로 그 식당이다.

다른 곳으로 가자 하여 그 옆의 어떤 식당으로 들어갔다.

점심을 먹으면서 한국에서 온 신혼부부를 만났다.

야들이 자미(Cami)라 부르는 모스크를 지나니 옆으로 정부 건물이 있고 무덤들이 나타난다.

블루 모스크 쪽으로 가면서 보면 오른쪽으로 무덤이 하나 있다.

무덤 뒤로는 오벨리스크가 두 개 나란히 세워져 있다.

이스탄불 블루 모스크

26

오벨리스크

4. 블루 모스크에서 손발을 씻고

하나는 이집트에서 가져온 오벨리스크라 한다.

블루 모스크의 원 이름은 술탄 아흐메트 모스크(Sultan Ahmet Cami)인데 터키에서 제일 큰 모스크이다.

보통 모스크에는 미나렛(Minaret)이라 부르는 첨탑이 보통 좌우 두 개씩 있는데, 이 모스크는 첨탑을 여섯 개나 거느리고 있다(표지 사진 참조).

비는 내리는데 모스크 안으로 들어가려면 신자들의 기도가 끝날 때 까지 10분을 기다려야 한다고 한다.

10분 후 신발을 비닐봉지에 넣고 들어 가보니 정말로 크긴 엄청 크 다.

블루 모스크

이스탄불 블루 모스크

천정의 돔도 가운데를 중심으로 몇 개인지 더 있고 기둥 하나의 둘레를 대충 걸으면서 재 보았더니 25-6m 정도 되니 얼마나 큰 모스크인가를 알 수 있다.

나오는 출구 쪽엔 모스크 모형이 전시되어 있는데, 무라트 말로는 죽기 전에 한 번은 그곳에 가 보아야 한다며 마호메트가 있던 곳이라 하니 메카의 모스크 아닌가 싶다.

밖으로 나오니 눈앞에는 소피아 사원이 저 멀리 보인다.

무엇보다도 그렇게 내리던 비가 말끔히 개어 하늘엔 해가 반짝이는 것이 무엇보다도 반갑다. 춥지도 않고.

밖에 나오며 보니 건물 한쪽으로는 발 씻는 수도가 죽 설치되어 있

블루 모스크 내부

4. 블루 모스크에서 손발을 씻고

블루 모스크 손 발 씻는 곳

고 무슬림들이 발을 씻는다.

이들은 성전에 들어가기 전 반드시 손발을 깨끗이 해야 하기 때문에 이렇게 꼭 씻는 곳이 설치되어 있는 것이다.

성전은 성스러운 곳이니 몸과 마음을 정결히 해야 하기 때문이다.

그렇지만, 혹시 성전이 워낙 커서 청소하기도 힘들기 때문은 아닐까?

손발을 씻고 들어가야 카페트가 덜 더러워지고, 그나마도 청소도 수월할 것이다.

어쩌면, 마호메트가 무슬림들의 위생을 생각해서 이런 규칙을 마련해 놓았는지도 모른다.

이스탄불 블루 모스크

무슬림들보고 "손을 씻어라, 발을 씻어라, 몸을 청결히 해야 한다." 고 아무리 타일러도 말을 잘 안 들으니까 성전에 들어올 때 깨끗하지 않으면 천벌을 받는다는 핑계로 이런 규칙을 만들어 놓은 것 아닐까?

도대체 무슬림들이 얼마나 손발을 잘 안 씻었으면, 이런 장치를 해 놓았을까?

성전 청소와 무슬림들의 위생을 배려하신 마호메트는 위대한 분이 다.

4. 블루 모스크에서 손발을 씻고

5. 소피아 사원: 유치한 황제

2007.3.3 토

블루 모스크를 나와 맞은편의 소피아 성당으로 간다.

소피아 사원은 유스티니아누스 황제가 만든 성당이었는데 유스티니아누스 황제는 크게 짓는 것을 좋아해서 이 성당을 지어 놓고는 "내가 솔로몬을 이겼도다."라고 했단다.

당시에는 솔로몬을 이겼다고 좋아했는지 모르겠으나, 솔로몬을 이기는 게 뭐 그리 대단하다고?

지금 보면 참으로 유치한 황제이다.

무라트 말로는 이 성당의 기둥이 500개라는데 500개까지는 안 되

소피아 사원

이스탄불 소피아 사원

소피아 사원 내부

는 것 같으나 크기는 크다.

그러나 이 성당은 투르크 족이 점령한 후 이슬람 사원으로 사용하였고, 현재는 박물관으로 사용한다고 한다.

따라서 사원 바깥의 첨탑들은 모두 나중에 세운 것이다.

모스크에서 첨탑은 뮈에찐(Muezzin: 기독교의 목사 같은 분, 그러나 설교는 하지 않는다.)이 하루 다섯 번 기도하는 시간을 알리기 위해 만들어 놓은 것이라는 데 이슬람 사원의 특징이 되는 건축물이다.

그렇다면 이 건물을 무어라 불러야 할까? 소피아 성당? 소피아 사원? 소피아 박물관?

바디칸에서는 본래 지었던 목적이 성당이니까 성당이라고 불러야 한

5. 소피아 사원: 유치한 황제

다는 주장을 강력하게 제기할지도 모른다.

모슬렘들은 "우리가 뺏은 것이니 우리 것이고, 이슬람 사원으로 개조하기 위해 벽도 새로 칠하고, 모스크의 특징인 첨탑도 세우는 데 얼마나 공이 들어갔는데"라면서 사원으로 불려야 한다고 주장할지도 모른다.

터키정부에서는 지금 용도는 성당도 아니고 사원도 아니고 박물관으로 사용되니 박물관으로 부르자고 할 것이다.

"설립 목적인지, 지배자 마음인지, 사용 용도인지에 따라 이름은 달라도 그 건물이 ㄱ 선물인데 그까짓 거 이렇게 부른들, 저렇게 부른들 어떠하리."라며 방관자적 입장을 취하는 관광객들 입장도 있다.

여기에서는 소피아 성당, 소피아 사원, 박물관 등 그냥 편한 대로

소피아 사원 내부

이스탄불 소피아 사원

34

소피아 사원: 대리석 항아리

쓴다. 읽는 이들은 혼동하지 마시라.

현명한 분들 같으면 이름보다도 본질을 꿰뚫어 보실 것이다.

혼동이 되시는 분은 스스로의 머리를 의심하시면 된다. 아니면, 그냥 소피아 성당, 소피아 사원 박물관 이렇게 세 건물이 있다고 생각해도 괜찮다.

여하튼 부르는 사람에 따라 이름은 바뀐다.

소피아 사원에 들어가는 데 일인당 입장료는 10리라(7,000원)이다.

박물관이라 하여 들어가 보았으나 유물은 별로 없고 사원 그 자체가 박물이었다.

사원 안은 보수공사 중이었으나, 들어서기 전에 큰 석관 하나가 보

5. 소피아 사원: 유치한 황제

이고, 안으로 들어서니 입구 쪽에 사람 키보다 더 큰 대리석 항아리가 좌우로 하나씩 있다.

대리석을 통째로 파내어 만든 것이라 한다.

누군가 참 애 많이 썼다. 그 큰 대리석을 파내어 항아리를 만들었으니 말이다.

아래층에서 재미있는 것은 벽에 구멍이 하나 있는데 소원을 비는 구멍(wish hole)이라고 한다.

그 구멍에 엄지손가락을 대고 소원을 빌며 한 바퀴 돌리면 소원이 이루어진다는 것이다.

사람들마다 무슨 소원이 그리 많은지 줄을 서서 차례를 기다린다.

소원 들어주는 구멍

이스탄불 소피아 사원

천정: 마리아와 아기 예수

5. 소피아 사원: 유치한 황제

나도 예외가 아니다.

기다리다가 아이들과 식구들 건강을 빌며 엄지손가락을 넣고 한 바퀴 돌린다.

그래서 그런지 건강해진 듯하다.

여러분들도 이곳을 방문하면 점잔 빼지 말고, 한 번 해 보시라.

관광이란 이런 재미인 것이다. 뭐 특별한 것도 좋지만 말이다.

아래층에서 이것저것을 보고 통로를 여섯 번을 휘돌아 올라가니 이층이다.

이층에서도 천장과 벽의 무늬 등을 보는데, 예전에 성당으로 쓰였던 흔적이 남아 있다.

벗겨진 성화의 흔적

이스탄불 소피아 사원

성모 마리아에게 교회와 도시를 받침

곧, 이슬람교에서는 벽에 그림 그려놓은 것을 싫어하여 전부 다시 칠했다는데, 벽 일부분에는 벗겨내지 못한 성화들이 아직도 남아 있다.

소피아 사원 바깥의 나오는 문 위에는 모자이크로 된 성화가 있는데, 가운데에는 마리아가 예수를 안고 있고 좌우 양쪽에 유스티니아누스와 콘스탄티누스가 그려져 있다.

설명을 보니 유스티니아누스가 소피아 성당을 바치고, 콘스탄티누스가 콘스탄티노플이라는 도시를 바치는 것을 표현한 것이라는 설명이다.

5. 소피아 사원: 유치한 황제

6. 저런 보석을 깔고 앉으면 궁둥이가 배길 텐데……

2007.3.3 토

밖으로 나와 소피아 사원을 빙 둘러 가니 술탄이 살던 궁전 톱카프 궁전의 문이 보인다.

궁전 문 앞에는 역시 씻는 곳으로서 역할을 하는 샘(fountain)이 있고, 10리라(7,000원)씩 주고 문 안으로 들어가니 물건들을 X레이 투시기를 통과시키고 들어간다.

들어가면 오른 쪽으로 궁전 모형이 있고 벽에는 오스만 터키 시대의 지도가 걸려 있는데, 마침 설명을 하는 여자가 한국 가이드이다.

보니 한국 관광객들이다.

톱카프 궁전의 문

이스탄불 톱카프 궁전

모형을 보며 설명하는 것을 잠깐 들어보니 이곳은 제2정원이고, 오른쪽으로 굴뚝이 많은 곳이 부엌이며 현재는 도자기 전시장으로 쓰고 있다는 설명이다.

일단 도자기 전시장으로 쓰는 부엌으로 들어서니 주로 중국 명나라 때의 도자기들이 주종을 이룬다.

그 가운데에는 물론 청나라 것도 있으며, 청자도 눈에 보인다.

이 궁전에는 5,000명이 살았는데 이 부엌의 요리사들 1,200명이 하루에 양 200마리를 잡아 요리를 하였다고 한다.

도자기가 전시된 방 맞은편에는 은으로 만든 큰 그릇들이 전시되어 있다.

부엌에서 나와 제3정원 쪽으로 넘어가니 바로 눈앞에 큰 집이 한 채 있고 그 방

궁전 부엌

6. 저런 보석을 깔고 앉으면 궁둥이가 배길 텐데…….

보석 창고

술탄의 보물들이 숨어 있는 곳

이스탄불 톱카프 궁전

안을 볼 수가 있다.

손님방으로 쓰인 궁전이란다.

방 안에는 저쪽으로 침대가 놓여 있고 눈앞에는 에메랄드 등의 보석이 달린 커다란 왕좌에 까는 카펫이 놓여 있다.

저런 보석을 깔고 앉으면 궁둥이가 배길 텐데…….

그 옆에 줄지어 있는 건물에는 방마다 다이아몬드, 사파이어, 에메랄드, 루비, 토파즈 등 온갖 보석들로 치장된 반지, 왕관, 칼, 칼집, 그릇 등이 전시되어 있다.

심지어는 왕의 갑옷까지도 보석으로 치장되어 있다.

어마어마한 보석들이다.

왕좌에 까는 카펫의 보석들

6. 저런 보석을 깔고 앉으면 궁둥이가 배길 텐데…….

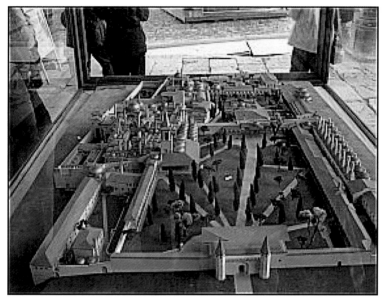

톱캅프 궁전 모형

오스만 터키가 침략을 받지 않아 이 보석들이 그대로 보존되어 있다고 한다.

여기에 서면, 다이아 반지 하나 가지고 폼 잡는 것이 그야말로 얼마나 하찮은 짓인가를 알 수 있다.

사람의 욕심이야말로 참으로 부질없는 것이다. 이러한 부귀영화인들 무슨 의미가 있겠는가?

너무 많으면 결국 없는 것과 마찬가지이다.

결국 허망한 것을!

그러니 다이아 반지 없다고 기죽을 필요도 없고, 욕심낼 필요도 없다.

마누라에게 강조하고 싶은 말이다.

이스탄불 톱카프 궁전

톱칸프 궁전 내부

그러나 이곳은 사진 찍는 것이 금지되어 있어 사진을 찍을 수는 없다.

여하튼 어마어마하다. 그러나 전혀 탐나지는 않는다.

제4정원 쪽으로 넘어가 왼쪽으로 궁전 건물이 높은 축대 위에 있는데, 그 모양이 참으로 아름답다.

축대 위에는 못도 있고 분수도 있다.

그곳에서 저쪽 바다 건너편으로는 갈라타 탑이 우뚝 솟아 있는 아름다운 경치를 볼 수 있다.

사진을 몇 장 찍은 다음 시간이 4시 가까이 되자 그곳을 떠나 다시 제3정원 쪽으로 간다.

6. 저런 보석을 깔고 앉으면 궁둥이가 배길 텐데…….

7. 하렘: 술탄의 개인 아파트

2007.3.3 토

무라트 말로는 하렘(Harem)을 구경하여야 하는데 물어보니 그곳은 4시에 마지막 투어가 있다면서 빨리 가야 한다고 한다.

하렘 구경은 다시 표를 사야 한다. 일인당 10리라씩.

하렘 들어가는 입구 앞에는 "Sultans' private apartment"라는 설명과 함께 각 방을 설명해 놓은 그림판이 붙어 있다. "술탄의 사적인 아파트라!" 맞는 말이긴 하다만 그 표현이 재미있다.

하렘은 절대적 지배자인 술탄의 개인 아파트인지라 술탄 이외에는 금남(禁男)의 구역이라고 한다.

톱캅프 궁전에서 본 갈라타 탑

이스탄불 톱카프 궁전

46

이곳에는 술탄의 어머니와 처첩들 및 어린 왕자들만 있을 수 있었다고 한다.

따라서 어린 왕자를 가르치는 교사도 여자였고 시중들던 사람들도 모두 여자였다고 한다.

다만 예외적으로 무희가 춤을 출 때 연주하던 남자들은 들어올 수 있었는데 연주하는 방에만 들어가야 했음은 물론이고 그나마도 뒤로 돌아서서 연주해야 한다고.

한 때 술탄이 위세를 떨치던 때에는 아시아, 아프리카, 유럽 등 세계 각국에서 데려온 여자들이 200여 명이 넘게 기거하였다는 방이 하렘이다.

하렘의 천정 무늬

7. 하렘: 술탄의 개인 아파트

하렘을 통제한 이는 대왕대비, 곧 술탄의 어머니라 한다.

서두른 탓인지 아직 4시가 채 안 되어 그 옆의 조그만 매점에서 커피를 한 잔씩 마신다.

커피값은 2리라(1,400원)이고 차는 0.5리라(350원)이다.

하렘의 목욕탕

하렘으로 들어서서 이 방 저 방 구경을 하는데 볼 것은 별로 없다.

단지 왕(술탄)의 처첩들이 쓰던 목욕탕, 왕의 목욕탕, 왕의 변소, 아이들 교육하던 곳, 술탄 어머니가 쓰던 방 등등이라는 설명과 함께 이동해 나가는데, 이런~ 배터리가 떨어졌다.

왕의 변소를 찍지 못해 매우 유감이다.

술탄의 변소라고 해봐야 현재의 수세식 변소에 비하면 별 볼 일 없

이스탄불 톱카프 궁전

술탄이 손 씻는 곳

는 거지만, 그래도 술탄의 변소인데…….

그리고 그 앞에는 황금으로 장식한 수도꼭지가 놓여 있는데, 왜 하필 이 때 전지가 다 될 것은 뭐람!

하렘에서 약 30분간의 투어를 끝낸 다음, 궁전 문 밖으로 나와 공사 중인 길을 가로질러 인류학 박물관 쪽으로 나온다.

벌써 5시 가까이 되어 인류학 박물관은 볼 수가 없다.

거대한 성벽을 따라 전찻길이 놓여 있고 그 성벽을 따라 죽 나오니 기차역이다.

이 기차역에서 바흐체세히르 가는 기차가 6시에 있다. 저녁 먹고 들어가기에 딱 알맞은 시간이다.

일단 표를 끊었는데 일인당 1.75리라(1,200원)이다. 버스값에 비해

7. 하렘: 술탄의 개인 아파트

보면 그렇게 비싸지 않다.

저녁으로는 도너츠를 사 먹었는데 이 집 음식은 그렇게 비위 상하지는 않는다.

저녁을 먹고 바흐체세히르 가는 기차를 탄다.

기차는 한쪽에 통로가 있고 다른 한쪽은 방으로 구성되어 있는데, 방안에는 선반과 거울, 그리고 여섯 개의 의자가 놓여 있어 아는 사람끼리 여행하기에 딱 좋은 구조이다.

기차를 타고 가는 길은 해변을 끼고 가는 길인데, 톱카프 성의 잔해들이 계속 이어진다.

옛 유적들이 그대로 남아 있는데 그것을 보니 대단하다는 느낌이 절

톱카프 성의 유적

이스탄불 톱카프 궁전

50

바체세히르 집들

로 든다.

바닷가에 성을 쌓고 언덕 위에 궁전을 세웠으니 천혜의 요새인 셈이다.

기차를 타고 가며 보는 경치가 참으로 볼 만하다.

바흐체세히르역에는 한 시간쯤 걸려 도착하였는데, 기숙사에서 별로 멀지 않은 곳이다.

이럴 줄 알았으면 아침 8시 반에 기차를 탈 걸 하는 생각도 든다.

무라트를 대학 건물까지 데려다 주고 터키식 커피를 한 잔 한 다음 집으로 돌아온다.

이것으로 오늘 일과는 끝이다.

무라트 덕분에 하루 잘 보냈다.

7. 하렘: 술탄의 개인 아파트

8. 우리는 저절로 새 나라의 어린이가 된다.

2007.3.3 토

아침 7시 10분에 바흐체세히르(Bahcesehir)에 있는 기숙사를 스쿨버스가 출발하여 베식타쉬(Besiktas)에 있는 바흐체세히르 대학에 도착하면 8시 15분이다.

그러면 5층에 있는 내 연구실로 가 컴퓨터와 함께 하루를 보낸다.

화요일 오전과 금요일 오전엔 터키어 강좌를 듣고 터키 말을 배우고

바흐체세히르의 바흐체는 터키말로 정원이란 뜻이고 세히르는 도시라는 뜻이니 "정원의 도시"라는 뜻이다.

이스탄불 교외에 있는 부자들 사는 마을로서 바흐체세히르 대학이

바흐체세히르의 집들

이스탄불 바흐체세히르

원래 있던 곳이다.

그래서 학생 기숙사가 아직도 이곳에 있는 것이다.

지금은 대학이 보스포러스 해협에서 아시아를 마주 보고 있는 전망 좋은 곳으로 옮겨가 있고 이곳 건물은 현재 고등학교로 쓰고 있다.

이곳은 부자 마을답게 다른 곳의 집들과는 달리 깨끗하게 지은 집들이 많다.

또한 이 도시에는 조그마한 호수를 둘러싼 공원도 있고 이들 생활에서 빠질 수 없는 예쁘장한 모스크도 있다.

처음에는 학교에서 연구실이 없다며 조교들이 쓰는 여러 개의 책상이 모여 있는 그런 방의 책상을 하나 내주며 "어떠냐?"고 묻는다. "별로

바흐체세히르의 호수 공원

8. 우리는 저절로 새나라의 어린이가 된다.

바흐체세히르의 집들

마음에 안 든다."고 했더니 "왜 그러냐?"고 묻는다.

"이런 공개된 장소에서는 정신 집중을 할 수가 없어 그렇다."며, "공간이 없으면 그냥 기숙사에 남아 있겠다."고 했더니, "다른 건물의 방을 알아보겠다."고 한다.

그리하여 며칠 지나 얻은 것이 비록 크지는 않지만 길 건너 이 학교의 또 다른 건물인 성인학교로 쓰는 건물 꼭대기 5층 방이다.

이 방은 깨끗하다.

다음 날 컴퓨터와 전화기 등을 갖다가 설치해 주었다. 그리고 무라트가 연필, 볼펜, 종이, 자, 칼 등 문방구를 갖다 준다. 감사할 일이다.

이 학교 직원들은 참으로 친절하다.

이스탄불 바흐체세히르

바흐체세히르 모스크

그렇지만 이들이 하는 일이 이들의 격한 성질 만큼 빠르게 진행 되는 것은 아니 다.

하루 종일 5 시 30분 퇴근 버 스까지는 연구실 에 갇혀 있는 것 이다.

퇴근 버스를 타고 바흐체세히 르에 오면 6시 45분쯤 된다. 길 이 막히면 7시가 넘기도 한다.

이들의 운전 솜씨는 신기(神技)에 가깝다. 그 큰 버스를 가지고 용케 도 끼어들고 용케도 앞 차에 바짝 다가간다.

잘못하면 부딪힐 뻔할 것 같은데 참으로 용하다.

기숙사에 오면 차를 타고 대학 식당으로 달려간다.

식사 시간이 6시부터 7시이라니까, 7시 넘으면 학교 요리사들이 퇴 근 준비를 하기 때문에 밥 달라기가 미안하기 때문이다.

8. 우리는 저절로 새나라의 어린이가 된다.

저녁을 먹고 집에 오면 거의 할 일이 없다. 실내 온도가 16-7도 정도라서 약간 춥다.

책상에 앉으면 무릎이 시리기 때문에 이메일이나 체크하고 인터넷으로 신문을 간단히 훑고 일찌감치 이불 속으로 들어가 텔레비전을 본다.

텔레비전 채널은 많으나 보는 것은 고작해야 축구 경기나 레슬링 등 말이 필요 없는 스포츠뿐이다.

이곳에선 빨리 자고 빨리 일어날 수밖에 없다.

방이 추우니 저녁 일찍 이불로 기어들고, 아침 7시에는 버스를 타야 하니 새벽 5시 반이나 6시에는 일어나야 하기 때문이다.

저절로 새 나라의 어린이가 되는 것이다.

바흐체세히르의 모스크

이스탄불 바흐체세히르

바흐체세히르에 있는 모스크 내부

이곳 물가 중 유독 비싼 것이 기름값이다.

유럽 다른 나라에 비하여 거의 1.5배가 넘는 수준이다.

보통 기름 1리터에 2.85리라이니 우리 돈으로 2,000원쯤 되는 돈이다.

게다가 학교가 있는 다운타운 쪽으로는 차들이 어찌나 밀리는지 그리고 운전을 어찌나 힘하게 하는지, 아예 차를 끌고 가는 것은 포기했다.

주차장에 차를 세워두는 것도 돈이 많이 들고, 운전하기도 힘든데……

학교 버스를 이용하는 것이 제일 낫다.

8. 우리는 저절로 새나라의 어린이가 된다.

9. 금방 친해지면, 안 되는 것도 된다.

2007.3.13 화

베식타쉬(Beşiktaş)에도 볼 것들이 많다.

베식(Beşik)은 요람(cradle)이라는 뜻이고, 타쉬(taş)는 돌이라는 뜻이다.

바흐체세히르 대학교에서 보스포러스 다리로 가는 길의 왼편으로는 10미터 정도의 높은 성벽이 있고 오른쪽으로는 취라간 궁전(çirağan saray)이 있다.

궁전 가기 전에는 사계절 호텔(Four Seasons Hotel)이 건축 중이고, 현재 취라간 궁전 역시 호텔로 사용 중이다.

취라간 궁의 바다 쪽 문

이스탄불 일드즈 궁전

일드즈 궁과 취라간 궁의 연결 다리

궁전의 문은 나무로 되었는데 그 조각이 섬세하고 화려하다.

바다 쪽으로는 큰 돌문이 낮은 담장과 함께 서 있다.

길을 따라 가면 취라간 궁전과 일드즈 정원(Yıldız Park)을 잇는 다리가 있다.

조금 더 가면 왼편으로 모스크가 하나 보이고 그 모스크 옆길로는 일드즈 공원으로 올라가는 길이 있는데 그 옆에는 베식타쉬 경찰청이 있다.

일드즈 공원은 원래 궁전에 딸린 정원이었던 모양인데 그 크기가 엄청 크다.

그 안 언덕 위에는 옛날 별궁으로 썼으나 지금은 박물관으로 사용하

9. 금방 친해지면, 안 되는 것도 없다.

는 살레(şale)가 있고, 음식점도 있고, 호수도 있다.

　무엇보다도 큰 나무들과 꽃들이 많이 있으며 꽃을 재배하는 온실이 따로 있는데, 온실 쪽에서는 마르마르 바다 건너 아시아 쪽 이스탄불이 잘 보인다.

　아주 전망이 좋다.

　꽃들은 세계 곳곳에서 가져다 심었다 한다.

　우리나라의 비원 비슷한 곳이다.

　그리고 이 정원 한 가운데로는 개울이 흐르고 다리도 있고 나무의자들도 숲 속 곳곳에 배치되어 시민들을 기다리고 있다.

　살레를 지나 길을 따라 죽 가면 옆으로 군 부대기 있고, 힌 바퀴 빙

일드즈 궁의 꽃들

이스탄불 일드즈 궁전

일드즈 궁: 호수

돌아 그 끝에는 일드즈 궁에 도자기를 공급을 하는 공공도자기 공장이 있는데, 입구에는 백만 원이 넘는 아름다운 도자기들이 전시되어 주인을 기다리고 있다.

일드즈 공원을 한 바퀴 대충 도는 데 걸리는 시간은 두 시간 정도이다.

일드즈 궁의 살레 입장료는 4리라(2,800원)이고, 사진 찍는 것은 6리라(4,200원)이다. 학생 입장료는 1리라(700원)이고.

월요일과 목요일은 다른 궁전과 마찬가지로 휴관이다.

입구에서 선생도 학생처럼 1리라 받는 것 아니냐고 했더니 선생이냐고 묻는다.

그렇다니까 신분증을 보잔다.

9. 금방 친해지면, 안 되는 것도 없다.

일드즈 궁전 살레: 가장 큰 홀

일드즈 궁전 정원: 고목

이스탄불 일드즈 궁전

일드즈 궁전

신분증을 보여주니 한참 드려다 보다가 국립대학 교수가 아니라 사립대학 교수라서 4리라를 내야 한다고 한다.

나, 이런!

4리라를 내니 사진을 찍으려면 6리라를 더 내야 한다고 한다. 물론 플래시는 끄고 찍어야 하고.

주내가 궁 내부의 장식들을 좋아해서 사진을 찍을까 하다가 실내에서는 컴컴하니 사진이 잘 안 나올 테니 별로 찍고 싶은 마음이 없다.

다만 루마니아 시나이의 펠레스 궁전처럼 저절로 찍고 싶은 마음이 든다면 돈을 내고 찍겠지만…….

그래서 가서 보고 사진을 찍을 만하면 사진을 찍고 나중에 돈을 내

9. 금방 친해지면, 안 되는 것도 없다.

면 안 될까 했더니, 직원 하나가 사진기를 자기에게 맡기고 같이 보러 가잔다.

직원과 같이 가면서 그 동안 배운 터키어를 몇 마디 한다.

"메르하바!(안녕하세요?), 메르하바!(안녕하세요?) 시즈 나슬스느즈?(당신은 어떠십니까?)"

"0000"

무슨 말인지는 잘 못 듣는다. 아마 좋다고 하는 것 같다.

"벤데 이일 릭(저도 좋습니 다)."

"어디에서 왔느냐?"

"한국에서 왔다."

그 러 면 서 친해졌다.

직원과 함 께 살레에 들 어간다.

이 층 으 로 올라가며 친히 방을 안내해 준다.

일드즈 궁: 벽난로

이스탄불 일드즈 궁전

64

이곳은 응접실이고, 이곳은 손님방이고, 이곳은 노란 방(yellow room)이고 설명을 해주더니 나보고 사진을 찍으라고 한다.

방이 어두워 사진 찍어봐야 별 거 없을 것 같다.

"사진 찍으면 돈을 내야 하지 않냐? 난 찍고 싶지 않다."

고 하니까,

"괜찮다."

며 자꾸 찍으란다.

그러더니 사진기를 들고 나보고 사진을 찍어 준다고 한다.

방 안에는 왕실에서 쓰던 좋은 의자가 있는데 그곳에 앉으란다. 사진 찍어 준다고

일드즈 궁전 부속건물

9. 금방 친해지면, 안 되는 것도 없다.

궁 안의 의자에 앉아서

금줄이 쳐져 있는데 어찌 들어가느냐니까 괜찮다며 들어가 앉으란
다.

성의를 무시할 수도 없어(?) 못이기는 체하고 의자에 앉아본다.

사진기는 플래시를 사용하지 말라고 되어 있어 처음부터 꺼 놓았는
데, 이 아저씨 왈 플래시를 터트려도 괜찮다고 자꾸 그런다.

돈 안내고 그냥 찍는 것도 미안한데⋯⋯.

그리고 플래시를 터트리지 않고 노출시간을 길게 주는 것이 배경까
지 더 잘 나온다.

단지 찍는 동안 사진기가 흔들리면 안 된다.

그래서 플래시는 터트리지 말고 그냥 찍으라고 한다.

이스탄불 일드즈 궁전

일드즈 궁에서의 전망

원래 내 사진은 잘 찍지 않는다.

다른 사람이 찍으면 사진이 흔들리거나, 비뚤어지거나, 발이 잘리거나, 구도가 엉성하거나 한 경우가 많기 때문에 남에게 사진기를 맡기지 않는 편이다.

그렇지만, 찍어주겠다며 친절을 보이는 데 어쩔 수가 없다.

벌써 사진기가 기울어져 있는 것을 보니 틀림없이 저 사진은 비뚤어져 찍힐 것임에 틀림없다.

그런데도 자꾸 웃으란다.

몇 장이나 건질 수 있을 것인가?

그렇지만 그 친절이 고마워 감히 거절은 못한다.

9. 금방 친해지면, 안 되는 것도 없다.

어찌되었든 고맙다.

그렇게 큰 집이 아니라서 둘러보는데 30분도 안 걸렸다.

밖으로 나오면서 잠깐 있으라며 다른 쪽 문으로 들어간다.

그러더니 일드즈 궁전을 찍어 놓은 엽서를 한 묶음 가지고 와 공짜라며 준다.

그리고는 자기는 다른 곳에 들려 갈 테니 나보고 나가란다.

"데쎄쿨 에드룸(감사합니다)."

인사를 하고 살레를 나선다.

이스탄불 일드즈 궁전

10. 되는 것도 없고, 안 되는 것도 없다.

2007.3.13 화

다시 성벽을 따라 일드즈 포르셀린(Yıldız Porselen) 쪽으로 간다.

가다 보면 오른 쪽으로 옛 궁전의 부속건물인 듯한 건물이 하나 있다.

궁전이라기에는 너무 작으니까.

그러나 오래된 건물 기둥의 조각은 아주 훌륭하며, 그 전망은 아주 좋은 곳이다.

비록 일부는 흰색 페인트를 칠해 놓아 그 정감을 살리지는 못하지만, 현재 음식점으로 사용되고 있다.

일드즈 궁에서 본 보스포러스 해협

10. 되는 것도 없고, 안 되는 것도 없다.

계속 가면 성벽 끝 부분에서 밖으로 나가는 문이 있다.

문 밖으로 나가 보스포러스 해협을 가로지르는 다리를 찍고는 일드즈 포르셀린으로 가니 수위실에서 사람이 나와 들어가지 못한다고 한다.

국립도자기공장

저 안에 있는 옛날에 지은 건물이 괜찮아 보여 들어가서 사진 좀 찍자니까 눈치가 못 알아듣는 것 같다.

이 건물은 공공건물이라 들어갈 수 없다며 입구의 도자기 전시장을 보라고 한다.

그곳엔 100만 원이 넘는 아름다운 도자기를 비롯하여 여러 가지 기념물이 될 만한 도자기들이 전시되어 있다.

아무래도 잘 못 알아듣는 것 같아 내 눈을 가리키고는 저 안의 건

이스탄불 일드즈 궁전

고가의 도자기

10. 되는 것도 없고, 안 되는 것도 없다.

도자기 공장 내부

물을 다시 가리키면서 사진을 찍고 오겠다고 하니 안 된다고 한다.

몇 마디 띄엄띄엄 하는 말로 보아서 저 안에는 도자기가 많이 있는 것 같은데 개방을 안 한다니 이상하다.

안 된다 하니 할 수 없다 싶어 되돌아 나오려는데 잠깐 기다리라 한다.

사무실로 들어가더니 전화를 한다.

언뜻 들리는 것이 "one tourist"이다.

그러더니 나오면서 조금만 기다리면 자기 친구가 나올 테니, 그 친구 안내를 받아 들어가라고 한다.

조금 있으니 저쪽에서 뚱뚱한 아저씨가 한 사람 나오더니 손을 흔든

이스탄불 일드즈 궁전

도자기에 그림을 그리는 모습

다.

　　수위실의 아저씨가 나보고 들어가란다.

　　가서 악수를 하고

　　"메르하바!(안녕하세요!)"

　　"메르하바!(안녕하세요!)"

　　"시즈 나슬스느즈?(어떻게 지내십니까?)"

　　"웨어 아 유 프롬?(어디서 오셨나요?)"

　　"코리아"

　　"멤넨 올둠.(만나서 반갑습니다.)"

　　인사를 나눈다.

10. 되는 것도 없고, 안 되는 것도 없다.

건물 앞에서 건물 도형을 가리키며 "이 건물은 피스톨 모양으로 생겼다."고 설명을 한다.

정말로 평면도형은 피스톨 형태이다.

그리고는 안으로 안내를 한다.

들어가니 왼편에 이 건물의 역사가 기록되어 있는데 이를 설명해준다.

"1892년 이 건물이 생겼으며 ……."

보니 도자기를 만드는 거푸집과 도자기를 굽는 가마가 옆에 있고 앞으로는 폭 1미터 가량의 선로가 놓여 있다.

아마도 도자기를 운반하기 위해 설치해 놓은 듯하다.

도자기에 그림을 그리는 모습

이스탄불 일드즈 궁전

74

옆에는 초벌구이를 기다리는 도자기들이 많이 있다.

알고 보니 정부에서 운영하는 도자기공장이다.

1892년부터 이곳에서 도자기를 만들어 오스만 터키 왕실에 공급하였으며 지금도 도자기를 만들고 있는 것이다.

또 다른 곳에는 전기로 굽는 도요가 서너 기쯤 있다.

그리고 한옆에서는 한 60쯤 되어 보이는 도공이 병에 귀를 붙이고 있다.

그곳을 죽 돌아보며 설명을 듣고 사진을 찍어도 되냐니까 찍어도 좋다고 한다.

피스톨 모양의 건물을 나오니 이제 그 앞의 건물로 안내한다.

도자기에 귀를 붙이는 도공

10. 되는 것도 없고, 안 되는 것도 없다.

장미 만드는 여인

들어가 보니 큰 방에 한 20여 명쯤 책상에 앉아 도자기에 그림을 그리고 있다.

세필을 가지고 꽃무늬를 그리는 이, 병에 마름모를 그려 넣는 이 등 등 다 자기 전공대로 초벌구이 도자기에 형형색색 그림을 그리고 있다.

또 어떤 여자는 고령토로 장미를 만들고 있다.

안내해 주던 분이 "She is a rose maker."라며 같이 웃는다.

일하는 데 방해가 될까 봐 조용히 설명만 들으면서 지나는데, 아무 래도 한 컷 정도 사진에 남겨 놓고 싶은 욕심이 난다.

그림을 그리는 아가씨와 안내해주는 직원에게 사진을 찍어도 괜찮은 가 물으니까 찍어도 좋다고 한다.

이스탄불 일드즈 궁전

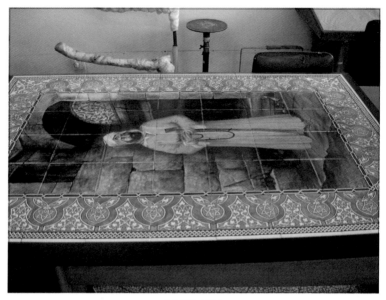

도자기 타일

　사진을 몇 장 찍고는 그곳을 나온다.

　"안 된다."는 곳을 직원의 안내와 친절한 설명까지 듣는 귀빈 대접
을 받으며 도자기공장을 견학한 셈이다.

　도자기 권위자인 영남대 엄상문 교수 같은 분이나 받아야 할 대접이
라는 생각이 든다.

　나야 뭐 전문가가 아니니까 이런 대접을 받기가 그저 송구할 뿐이
다.

　그렇지만 비전문가에게 더 좋은 구경거리일지도 모른다.

　그러니 이런 것을 투어 프로그램에 넣어도 좋을 듯싶다.

　여하튼 아무래도 오늘은 운이 좋은 모양이다.

10. 되는 것도 없고, 안 되는 것도 없다.

터키에서는 원칙적으로 안 되는 것도 친분만 있으면 가능해진다.

그러나 된다는 것도 어떤 때에는 시간을 끌다가 잘 안 되는 경우도 비일비재하다.

이른 바 안 되는 것도 없고, 되는 것도 없는 것이 터키인 것 같다.

여하튼 감사하다.

이스탄불 일드즈 궁전

11. 터키는 동이족의 한 갈래

2007.3.21 수

일드즈 공원에서 나와 다시 조금 더 가면 오른쪽 왼쪽에 대학 건물이 있으며, 이를 지나면 보스포러스 해협을 잇는 중간 다리 볼가치지 다리(Boğazici Köprüsü)가 나온다.

다리 밑에는 1855년에 지은 뷰육 메지디예 자미(Büyük Mecidiye Cami)라는 모스크가 나온다.

뷰육은 "큰, 위대한"이라는 뜻이고 자미는 모스크라는 뜻이다.

겉모양은 낡았어도 안에 들어가 보니 깨끗하고 화려하다.

커다란 샹들리에며, 천정과 벽의 무늬가 간결하면서도 화려하다.

뷰육 메지디예 모스크

위스퀴달의 므흐리마흐(Mıhrimah) 모스크

이 부근에는 생선요리 음식점이 많다기에 와 봤지만, 그렇게 많은 것은 아니다.

한편 바흐체세히르 대학교 앞에서 떠나는 배를 타고 바다를 건너가면 아시아인데, 여기에는 술탄의 딸을 기려서 만든 므흐리마흐(Mıhrimah) 모스크가 있다.

역시 겉모양은 우중충하나 속은 깨끗하고 간결하면서도 화려하다.

물론 들어가기 전에 손을 씻는 세수간은 물론 있고.

바다를 건너는 데는 1.3리라(900원)인데, 많은 사람들이 아시아 쪽 이스탄불인 위스퀴달(Üsküdar)에서 유럽 이스탄불인 베식타쉬로 출퇴근을 한다.

이스탄불 위스퀴달

노래에 나오는 그 '유스크달'이 바로 이곳이다.

바다를 건너며 뒤돌아보면 왼쪽으로는 돌마바흐체 궁전과 저 멀리 갈라타 탑이 보이고, 그 옆으로 더 멀리에는 톱카프 궁전과 엔니 사원이 보이며, 정면으로는 베식타쉬의 도시 풍경과 함께 바흐체세히르 대학이 보이고 오른쪽으로는 보스포러스 다리가 보인다.

어느 쪽을 보아도 아름답다.

베식타쉬의 남쪽 바닷가에는 돌마바흐체 궁전(Dolmabahçe Saray) 이 있다.

돌마바흐체는 "가득 찬 정원"이란 뜻인데 보스포러스 해협의 유럽 쪽 해변을 흙으로 메우고 세운 궁으로서 길이가 600미터에 이르는데

바다에서 본 돌마바흐체 궁전

11. 터키는 동이족의 한 갈래

보스포러스 해협을 향한 대포들

현재 박물관으로 사용되고 있다.

그러나 월요일과 목요일은 휴관이다.

수요일 아침 출근하자 대충 이메일을 정리하고 돌마바흐체 궁전으로 간다.

바닷가에는 바다를 향해 대포들이 나열되어 있고, 그 옆으로는 해군 박물관이 있다.

해군박물관을 지나면 바로 돌마바흐체 궁전인데, 궁전의 벽 높이가 약 20미터 정도나 된다.

벽 자체는 별로 볼 것이 없으나, 한 3-400미터 정도 가면 궁으로 들어가는 문이 나온다.

이스탄불 돌마바흐체 궁전

돌마바흐체 궁전의 문

지금은 이 문이 폐쇄되어 있으나, 문의 조각이 그렇게 화려할 수가 없다.

지금은 때가 타서 그렇지 만든 당시에는 참으로 화려하고 아름다웠을 것이다.

다시 앞으로 약 2-300미터를 나아가자 궁전으로 들어가는 입구가 나타난다.

입장료는 궁전이 10리라, 할렘이 10리라로서 총 20리라(14,000원)이다.

20리라를 내고 궁전으로 들어서자 10시 20분에 영어 투어가 있다고 한다.

11. 터키는 동이족의 한 갈래

약 10분쯤 시간이 남아 정원을 둘러보며 사진을 찍는다.

궁전 앞 정원의 분수에는 거위를 조각한 분수탑이 있는데 그 조각이 가히 명품이다.

주변의 나무 역시 압권이고.

바다 쪽에는 위병이 출입금지 팻말 앞에서 근엄하게 서 있고, 눈을 돌려 반대쪽을 보면 이 궁전의 문으로 사용한 곳 옆에 꽃으로 만든 대형 꽃시계가 10시 10분을 가리키고 있다.

꽃시계 옆 뒤쪽으로 가보니 사람 얼굴 등이 조각된 노란색 화병인지 탑인지가 꽃밭 한 가운데 아름답게 서 있다.

궁전으로 들어가는 문 옆에는 염소 머리를 조각한 대형 화분이 용설

돌마바흐체 궁전의 못 가운데 있는 거위 조각

이스탄불 돌마바흐체 궁전

84

궁 입구의 용설란

정원의 조각

란을 머리에 이고 서 있다.

뿔 달린 염소 머리는 마치 이들이 유목민족이었음을 은연중에 보여준다.

5,000년 전 동아시아에서는 우리 민족이 다섯 개 부족으로 나뉘어 중국 대륙과 만주 등을 지배하고 있었다는 전설이 있는데, 다섯 부족은 해를 토템으로 하는 부족[陽族: 양족], 소나무를 토템으로 하는 부족[松族: 송족], 잣나무를 토템으로 하는 부족[柏族: 백족], 새를 토템으로 하는 부족[鳳族: 봉족], 그리고 소와 양을 토템으로 하는 부족[羊族: 양족]이다.

화분의 뿔 달린 염소 머리는 이들이 소와 양을 토템으로 하는 양족(羊族)의 후예일 가능성을 보여준다.

지금은 용모나 체구가

11. 터키는 동이족의 한 갈래

서구화되었지만, 이들의 조
상이   돌궐족(突厥族)이니,
동이족의 한 갈래인 것은
틀림없다.

터키라는 국호도 돌궐
에서 온 말이다.

돌궐의 현지 발음이 투
르크(Turk)이고,   투르크
(Turk)가   터키(Turkey)로
변한 것이다.

이들은 자기들의 역사
를 알기 때문에, 한국을 형

돌마바흐체 가는 길

제의 나라로 생각하며, 한국인들을 좋아한다.

이스탄불 돌마바흐체 궁전

12. 돌마바흐체 궁전: 4.5톤의 샹들리에

2007.3.21 수

주내는 영국에서 온 여학생들 둘과 이야기하느라 정신이 없다.
이 여학생들은 런던에서 아르바이트하며 대학교를 다닌다 한다.
참으로 기특한 학생들이다.
학생표는 시계박물관까지 포함하여 3리라(약 2,000원)라 한다.
우리는 20리라인데 시계박물관 표는 포함되지 않았다.

나중에 알았지만, 시계박물관은 할렘 옆에 있는데 여기 들어가려면 다시 1리라짜리 표를 끊어야 한다.

10시 20분이 되어 궁전으로 들어간다.

신발에 비닐 커버를 씌우고 안내인을 따라 들어가며 설

돌마바흐체 궁전의 문

12. 돌마바흐체 궁전: 4.5톤의 샹들리에

명을 듣는다.

이 궁전은 술탄 압둘 메짓트 1세가 세력이 급격히 약화되어 가는 오스만 터키 제국의 서구화를 추진하고 국력 쇄신을 위해 당시 500만 금화(현재 돈 5억 달러 가량)의 돈을 들여 1843-1856년 사이에 건립한 것이라 한다.

돌마바흐체 궁전의 방

돌마바흐체 궁전의 방

르네상스 스타일의 이 건물은 건축기사 발라안의 설계에 따라 프랑스 베르사이유 궁전을 모방해 지은 것이라서 동양적인 색채는 약하며 유럽풍의 색채가 강하다.

이 궁전은 현존하고 있는 고대 궁전 중에서 가장 화려하며, 285개

이스탄불 돌마바흐체 궁전

의 방과 43개의 홀이 있고, 560점 이상의 그림, 280개의 화병, 156개의 다양한 시계, 58개의 크리스털 촛대, 36개의 샹들리에가 있다.

특히 영국의 빅토리아 여왕 2세가 선물한 4.5톤의 무

돌마바흐체 궁전: 샹들리에

게에 750개의 촛대로 구성된 세계 최대의 샹들리에가 36미터 높이의 중앙 홀에 달려 있다.

무게만 4.5톤이라니?

트럭 하나가 천정에 매달려 있는 셈이다.

그리고 750개의 촛불이라니?

촛대만 세다가도 하루해가 저물겠다.

이 이외에도 손으로 직접 짠 88제곱미터와 114제곱미터 등의 대형

12. 돌마바흐체 궁전: 4.5톤의 샹들리에

궁 천정

샹들리에

크리스털 촛대

시계

이스탄불 돌마바흐체 궁전

화려한 유리 주전자

금그릇 은그릇

카펫을 위시하여 수많은 카펫들이 있으며, 이 궁전을 장식하기 위해 사용된 금이 14톤, 은이 40톤이라 하니 그 화려함과 규모를 알 수 있다.

그러나 결국 막대한 건축비 지출이 왕실 재정을 더욱 악화시켜 결국 오스만 제국의 멸망을 초래하는 원인이 되었다 한다.

역사는 사람의 의도와는 달리 가는 것이다.

터키 공화국을 건국한 아타 투르크는 여기에서 살다가 1938년 11월 10일에 서거하였다 한다.

궁전 안으로 들어가니 우선 눈길을 끄는 것이 크리스털 촛대와 샹들리에이다.

12. 돌마바흐체 궁전: 4.5톤의 샹들리에

촛대는 높이 2-3미터의 크리스털로 이루어진 것인데 참 아름답고 화려하다.

샹들리에 역시 크리스털로 만든 것으로서 대단하다는 말 밖에 안 나온다.

나중에 다녀 보니 안내인의 말대로 이것은 시작에 불과한 것이었다. 이보다 훨씬 크고 다양한 형태의 크리스털 샹들리에와 촛대가 정말로 많다.

그러나 이러한 크리스털 샹들리에를 거저 준다고 해도 가져다 달 수가 없을 것이다.

그것을 아파트에 달아 놓으면 거실을 다 차지할 테니 사람들은 옆으로 피해서 다녀야 할 거다.

돌마바흐체 궁전의 홀

리스털 난간 받침

이스탄불 돌마바흐체 궁전

화병 　　　　　　　　　　　화병

　물건마다 임자는 따로 있는 법!

　이곳에 있는 가장 적은 크리스털 샹들리에도 그것을 매달려면 적어도 천정 높이가 10미터 이상은 되어야 할 터이니, 그런 큰 집을 지니고 있지 않으면 아무리 좋아보여도 쓸모없는 것이다.

　쓸데없는 욕심에 탐을 내봐야 결국 어리석음을 내보이는 것일 뿐. 큰 물건은 큰집을 만나야 하고, 작고 아담한 물건은 작은 집을 만나야 어울리는 법이다.

　그래야 그 속의 사람들도 행복해질 수 있는 것이다.

　이런 점에서 루마니아 시나이아의 펠레스 궁전은 작지만 정말 아름다운 집이라 생각한다.

　물론 돌마바흐체 궁전은 크고도 화려하며 찬란하고 아름답다.

12. 돌마바흐체 궁전: 4.5톤의 샹들리에

그렇게 크고 화려하지만, 난방 기술이 발전하지 않았던 옛날엔 그 크기만큼 난방이 잘 안 되어 술탄도 벌벌~ 떨고 지냈다 한다.

떠는 정도가 아니라, 어떤 술탄은 추위를 견디지 못하여 따뜻한 저 세상을 찾아 일찌감치 돌아가셨다는 전설이 남아 있다.

분에 넘치는 지나친 욕심은 화를 부르는 법이다.

이스탄불 돌마바흐체 궁전

13. 술탄이 동쪽으로 앉은 까닭

2007.3.21 수

처음 들어간 방의 왼쪽 벽에는 술탄의 행차를 보여주는 폭 4-5미터, 높이 3미터 정도의 대형 그림이 걸려 있고 안내인은 한참 동안 그것을 설명한다.

오른 쪽으로는 커튼 너머로 바다가 보이고, 역시 2미터가 넘는 대형 그림들이 벽에 걸려 있고, 방안에는 붉은 색깔의 의자들이 앙증맞게 놓여 있다.

그 방을 지나니 넓은 홀이 나오는데 천정의 금박 무늬며, 그곳에 매달린 샹들리에며, 커튼, 의자, 책상, 카펫 등이 참으로 화려하다.

샹들리에

응접실

13. 술탄이 동쪽으로 앉은 까닭

술탄의 목욕탕

그 다음 방에는 술탄이 쓰던 금과 은, 유리로 만든 식기며 그릇들이 전시되어 있다. 참으로 호사스럽다.

일층을 보고 이층으로 오르는데, 이층 난간 받침이 전부 크리스털로 되어 있다.

비록 안내인이 이런저런 설명을 하나 이것저것 눈이 휘둥그레져서 구경하느라 잘 들리지 않는다.

방마다 제각기 색깔을 맞추어 조화를 이룬 화려한 방들을 구경한다. 푸른색으로 치장된, 예컨대, 커튼, 의자, 샹들리에 등을 푸른색과 맞추어 만들어 놓은 블루 룸, 누런색으로 만들어 놓은 옐로우 룸, 녹색으로 만들어 놓은 그린 룸, 붉은 색의 핑크 룸 등 많기도 많다.

이스탄불 돌마바흐체 궁전

하렘의 욕실

술탄의 수세식 변소

이 방은 응접실이고, 이 방은 회의실이고 등등 설명은 그다지 중요하지 않다.

방마다 달려 있는 샹들리에는 굳이 영국에서 선물한 4.5톤짜리가 아니라 하더라도 제각각 여러 형태로 그 아름다움을 뽐낸다.

아마도 샹들리에와 크리스털 촛대에 불을 밝히면 정말 대단할 것이다.

술탄의 변소와 목욕탕을 본다.

13. 술탄이 동쪽으로 앉은 까닭

욕실은 대
리석으로 치
장되어 있는
데 역시 그
조각 솜씨는
대단하다.

변소는 수
세식인데, 톱
캅프 궁전의
변소보다는
한결 깨끗하
고 발전된 것
이다.

현대의 수
세식 변소에
비하면 별거
아니지만……

술탄의 욕실 천정

그러니 현대인들은 옛날의 왕보다 누리는 것이 어쩌면 더 많을지도 모르겠다. 아니 더 많음에 틀림없다.

옛날 왕이 어찌 아이스크림을 먹어보았을 것이며 수세식 화장실을 사용하고 전자식 비데를 사용해보았을 것인가?

그런 걸 보면 옛날 왕들을 부러워할 이유가 없는데, 그저 욕심도 거기에 비례하여 불만으로 가득 차 있는 것이 현대인이다.

이스탄불 돌마바흐체 궁전

그래서 발전이 있는 것이겠지만……

분수를 알고 적당히 만족할 줄도 알아야 하는 법이다.

여하튼 톱캅프 궁전에서는 배터리가 떨어져 술탄의 성스런 변소 사진을 찍지 못했는데, 여기에서 드디어 원을 풀었다.

술탄 화장실의 조명

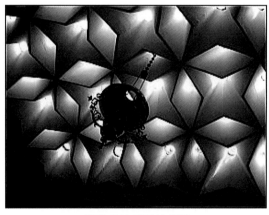

하렘 욕실 화장실 천정

변소의 채광은 바깥의 빛이 들어오고 냄새가 나가도록 설계된 것인 모양인데 그 무늬며 볼록 볼록 들어가고 나온 것이 그 자체로 예술이다.

드디어 가장 유럽에서 가장 크다는 4.5톤짜리 샹들리에가 걸려 있는 중앙홀

13. 술탄이 동쪽으로 앉은 까닭

로 나온다.

홀의 높이
는 36미터이
고, 여러 개의
굵직굵직한
기둥들이 남,
북쪽을 받치
고 있는데, 정
말 장관이다.

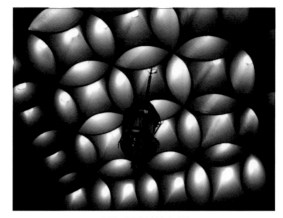

술탄 화장실의 조명

홀의 이
층 북쪽 편 발코니에는 정부 각료들이 동쪽에는 외교 사절이, 남쪽에는
연주대가, 그리고 서쪽에는 술탄이 동쪽을 보고 앉는다 한다.

이곳은 지금도 종종 외교사절을 접대하는 데 사용된다는데, 얼마 전
에는 아라비아 국왕이 방문하였으며, 미국의 부시 대통령도 이곳에 왔
다고 한다.

그렇다면, 술탄이 왜 동쪽을 보고 앉을까? 우리나라의 경우 왕은 남
쪽을 향해 앉는데 말이다.

동쪽이 해가 뜨는 곳이니, 해를 향해 동쪽을 향해 앉는 것인가?

그럴듯하다만 이 말은 맞는 말이 아니다.

이 말이 맞는다면, 저녁때는 서쪽을 향해 앉아야 하기 때문이다.

그렇다면, 아마도 그 옛날 선조들이 떠나온 고향이 그리워 무의식적
으로 동쪽을 향해 앉는 것 아닐까?

이스탄불 돌마바흐체 궁전

14. 왕의 여자들 침실을 엿보다.

2007.3.21 수

그곳을 나와 바닷가 쪽을 돌아 하렘으로 간다.

톱캅프 궁전에서 하렘을 보았지만 실망스러운 정도라서, 그리고 한 군데에서 보았으면 비슷할 것이라 생각하여 처음에는 안 들어가려 하였으나, 주내가 보고 싶다하여 표를 끊은 것이다.

이 궁전의 하렘은 핑크색 현대식 건물이다.

가보니 12시 20분에 영어 투어가 있다고 한다. 또 10여 분을 기다려야 한다.

이곳저곳 둘러보는데, 저쪽 편에 시계박물관이 있다. 들어가려니 다

돌마바흐체의 하렘

근위병 교대식

시 표를 끊어 오란다.

하렘을 돌아 부속 건물 쪽으로 군인들이 열을 맞추어 교대식을 하러
오는 모양이다.

아이 하나가 그 뒤를 졸졸 따른다.

12시 20분에 하렘으로 들어간다.

가이드의 설명을 들으며. 처음 들어간 홀은 이집트에서 가져온 돗자
리가 깔려 있는 넓은 홀이다.

그 다음 통로를 따라 하렘을 지배했던 술탄의 어머니 방을 구경한다.

술탄의 어머니가 죽어서 없으면 그 방은 어떻게 하느냐고 묻자, 비
워둔다고 한다.

이스탄불 돌마바흐체 궁전

돌마바흐체의 하렘: 응접실

그러나 가이드가 말하는 태도로 보아 이 대답은 약간 신빙성에 의문이 간다.

아마 자기도 잘 모르는 너무 어려운 질문이니까 그냥 건성으로 대답하는 듯해서다.

그러니 이 말을 다 믿지는 마시라!

그러면 누가 술탄의 처첩들을 통제하는가를 물으려다 그만 둔다.

이거 역시 어려운 질문이기도 하려니와, 그보다 더 쉽고도 중요한 질문이 있었기 때문이다.

대신 술탄은 몇 명이나 데리고 사는가 물어보니 네 처와 네 첩 (Four wives and four favorites) 모두 여덟 명까지 데리고 살 수 있다

14. 왕의 여자들 침실을 엿보다.

고 한다.

의자왕의 삼천 궁녀를 생각할 때, 이들이야말로 참으로 간소하고 겸 허한 왕들 아닌가!

그렇다고 의자왕보다 정력이 약했다고 떠들다간 지하에 있는 술탄들 이 억울하다며 관을 박차고 벌떡 일어날지도 모른다.

코란의 가르침에 따른 것뿐이라 항변하며…….

허긴 하나도 감당하기 어려운데 여덟이나 데리고 산다니 역시 왕은 왕이다 싶다.

집이나 사람이나 역시 분에 맞아야 한다.

왕의 어머니 침실, 응접실, 손님방, 가족들 모이는 빙, 식당, 치첩들

돌마바흐체의 하렘: 응접실

이스탄불 돌마바흐체 궁전

104

하렘: 술탄의 여자 침실

이 모여 기도하는 방, 그리고 처첩들의 방 등 여덟 개의 방을 공개한다고 한다.

왕의 어머니 방, 그러니까 우리말로는 대왕대비전이라지만 침대와 의자 등 갖추어져 있는 것은 손님방이나 다를 것이 없다.

그래도 관심이 가는 것은 그나마 욕실과 변소 그리고 침실이다.

왜 우리는 욕실과 변소 그리고 침실을 엿보고 싶어 하는 걸까?

당시 여자들의 욕실과 변소, 그리고 침실을 엿보고 싶어 하는 것은 남자들뿐만 아니라, 방문자 모두의 숨겨진 욕망이리라.

인간이 옷을 입고 생활한 이래, 발가벗은 것이 창피하다는 이상한 도덕관념에 세뇌되어 수천 년을 살아온 이후, 무의식 속에 억압되어 숨겨져 있던 원초적 욕망이 꿈틀거리기 때문이다.

벗지 않고 자식 만드는 사람 있나?

14. 왕의 여자들 침실을 엿보다.

양자를 하면 된다고 우기는 사람이 더러 있다.

이런 사람들은 '독도가 일본 땅'이라고 우기는 일본의 대표적 꼴통들인 극우분자들과 동류의 사람들이니 제쳐놓고 말하려 한다.

벗어야 자식이 생기고 인류가 이어지는 것이니 무시하려야 무시할 수도 없는 것을 도덕과 윤리라는 요상한 논리와 허명 속에서 이른 바 '벗는 것을 보는 것'이 금기시되면서, 억압된 엿보기의 욕망이 대를 이어 내려오며 집합적 무의식으로 형성되었기 때문이다.

만약 전부 벗고 다녀보라! 누가 엿보는 것을 즐기겠는가?

여기에서 집합적 무의식이란 칼 구스타프 융이 말하는 무의식으로서 유전과는 분명 다르지만, 오랜 세월 속에서 인류 공동으로 형성된 무의

왕비의 침실

이스탄불 돌마바흐체 궁전

식을 말하는 것인데, 더 이상은 나도 잘 모르니 묻지 말고 칼 구스타프 융의 책을 사서 읽으시라.

그러나 술탄의 처첩들이라고 다를 것이 무엇 있겠는가?

왕이나 서민이나 살림살이는 마찬가지인 것을. 단지 다르다면 바닥을 대리석으로 깔았는가, 아니면 나무판대기인가의 차이일 것이다. 그리고 아마도 수세식이냐 아니냐의 차이일 것이다.

이런 걸 생각하면, 현대인은 그야말로 옛날 황제보다 더 잘 살고 있는 것이리라.

그렇지만 금남의 집이었던 하렘은 방문자들의 이런 호기심을 이용하여 돈을 번다.

별거 없는 것을!

역시 변소는 술탄의 변소와 같고, 욕실 역시 비슷하다.

욕실의 타일이 아름답다. 역시 천정에는 채광을 위해 구멍을 내고 가운데에 등을 달았는데, 참 아름답다.

천정마다 다른 형태로 만들었는데, 기본적인 아이디어는 같으나 이렇게 다양한 형태가 나올 까 싶다.

침실이라고 해봐야 별 것 없다.

침대가 있고 휘장이 드리워져 있을 뿐. 요즈음 잘사는 집엘 가면 흔히 볼 수 있는 것들이다.

허긴 옛날이니까, 지금과 비교하는 것이 무리일 것이지만.

밖으로 나오니 매우 배가 고프다.

이럴 줄 알았으면 미리 토스트라도 하나 더 먹고 오는 건데…….

14. 왕의 여자들 침실을 엿보다.

15. 점점 이슬람교가 좋아진다.

2007.3.21 수

바깥 정원엔 햇빛이 찬란하다.

하렘을 나오면 담장으로 둘러쳐진 무덤이 하나 나타나고 그 앞으로는 나무 등에 시멘트를 바른 것인지 아니면 돌로 조각을 한 것인지는 모르겠으나, 여하튼 근사한 조각상이 있는 조그마한 못이 하나 있다.

그리고 못 뒤에서는 이제 찬란히 지고 있는 목련을 만난다.

때가 되면 지는 것이다.

찬란한 슬픔의 봄을 저 목련에 빗대어 읊은 시인도 있지만, 차라리 저 목련처럼 화려하게 지는 것이라면 그래서 그 열매를 맺게 해준다면,

돌마바흐체 궁: 못과 조각

이스탄불 돌마바흐체 궁전

목련

그것이 어찌 찬란한 슬픔이랄 수 있겠는가!

추하게 아등바등 거리다가 하나님 앞으로 가는 것보다 저 꽃잎처럼 질 수만 있다면야 그 얼마나 행복한 삶이라 할 수 있을까?

정말로 감사할 일일 것이다.

제 소명을 다하고 깨끗이 지는 것이야 말로 정말 아름다운 일 아닌가?

이른 봄 찬 바람에 화알짝 피었다가
찬란히 지는 아픔 열매로 맺었나니
저렇게 살수만 있음 그 무언들 부러울까"

지는 목련을 뒤로 하고 궁을 나오니, 시간은 이미 점심시간을 훨씬 비켜 지나갔지만, 눈앞의 모스크를 그냥 지나갈 수는 없지 않은가?

언제 다시 이 모스크를 방문할 것인가?

15. 점점 이슬람교가 좋아진다.

모스크에 들어가니 마침 많은 사람들은 아니지만 십여 명의 사람들이 기도 중이다.

사진기를 들어 이들에게 방해가 되지 않도록 플래시가 켜지지 않도록 꺼 놓고 조용히 사진을 하나 찍는다.

그들에게 방해가 되지 않도록 안에는 들어가지 않는다.

결국 모스크 안의 천장인 돔은 구경을 못했으나, 이들의 신앙생활을 엿보기는 했다.

터키에 있는 모스크는 어느 곳을 가나 속이 깨끗하고 채광이 잘 되도록 지어져 있다.

지금까지 방문한 모스크 치고 안이 어둡다든가 침침한 곳은 없었다.

정원의 사자와 새끼 사자상

이스탄불 돌마바흐체 궁전

돌마바흐체 모스크

15. 점점 이슬람교가 좋아진다.

벽은 흰색 바탕에 간결하게 선으로 채색되어 있고, 사방으로 모자이크 처리된 유리가 있어 비교적 환하고 밝다.

비록 겉모양은 오래되어 때가 타고 낡은 모양을 보이더라도.

이런 점은 유럽 대부분의 교회가 겉은 웅장하고 화려하지만, 속은 어둠침침해서 묵직하고 무엇인가 방문자를 내려누르는 듯한 조금은 답답한 그런 분위기와는 사뭇 다른 것이다.

또한 기도를 하고 나오는 사람들 모두가 친절하다.

안으로 들어가 보라 하고, 사진도 찍으라 하고, 참 친절하다.

"한 손에 코란을, 한 손에 칼을!"이라는 구호가 이슬람교를 대표한다고 알고 있던 나에게는, 그리고 시아파와 수니파와의 싸움, 이스라엘과의 전쟁 등으로 이슬람교가 무시무시한 종교인줄 알았던 편견이 저절로 사라진다.

그러니 경험해보지 않은 사람의 편견이란 얼마나 무서운 것인가!

더욱이 모스크 안에서는 기도를 인도하는 분이 있기는 하지만 설교를 하는 것도 아니다.

각자 알아서 기도하고 돌아갈 수 있도록 시간을 알려주고 기도를 인도하는 것뿐이다.

코란을 읽는 것도 스스로 한다.

코란을 읽다 모르면 어찌 하냐고?

아버지에게 물어보고, 그래도 모르면, 모스크로 간다. 모스크에 가면 코란을 가르쳐주는 학자가 있다. 그분에게 물으면 된다.

그렇지만 목사나 신부처럼 강론하는 분은 없다. 참으로 자율적인 종

이스탄불 돌마바흐체 사원

교이다.

모스크에 나오지 않더라도, 집에서 코란을 읽고 묵상하고, 하루에 다섯 번씩 기도하고, 그러면 된다.

모스크는 남자들의 영역이다. 여자들은 나오지 않는다. 그러니 집에서 기도한다.

터키 사람들의 약 98%가 모슬렘이라 하는데, 이들이 다 모스크에 나가는 것은 아니다. 또한 하루에 다섯 번씩 엎드려 절하며 기도하는 것도 길거리에서는 보지 못했다.

집에서는 열심히 할까?

자꾸 따지지 말자.

무슬림의 기도

15. 점점 이슬람교가 좋아진다.

돌마바흐체 모스크 부속 건물

이슬람교는 자율적인 종교니까, 따지지 말고 자율적으로 생각하라.

어차피 신은 한 분이고, 신에 기대어 모든 것을 신의 뜻에 따라 살아가고, 그리고 부족한 것은 신에게 기도하고 간구하고, 그러면서 살아가는 것이 종교생활이라면 이슬람교는 자율적으로 신앙생활을 하는 사람들에게는 참으로 좋은 종교 아닐까 생각해본다.

점점 이슬람교가 좋아진다.

더욱이 이슬람교에서는 십일조가 아니라 사십일조라 한다.

곧, 소득의 십분의 일을 교회에 바치는 것이 아니라 사십분의 일을 바친다 한다.

물론 사십일조 이외에도 돈 많이 번 사람은 반드시 불쌍한 사람들을

이스탄불 돌마바흐체 사원

114

못 본 척 지나치지 말고 돌보아야 하는 의무가 코란에 쓰여 있다.

참 합리적인 종교이다.

개신교에서는 십일조만 강요하는 교회도 있고, 십일조 때문에 교회는 부자가 되고 신도는 가난해지는 경우가 더러 있는데, 기독교에서도 사십일조로 바꾸면 어떨까?

목사님들은 성경에 십일조라고 쓰여 있으니 성경을 따라야 한다고 틀림없이 반대할 것이다.

더욱이 사십일조로 바꾸면, 기독교가 이슬람교로 개종하는 거나 다름없다고 입에 거품을 품고 달려들지도 모른다.

그렇다면, 이슬람교에서 사십일조니까 우리는 오십일조로 하겠다고 깃발 들고 나서는 목사님은 없는가?

십일조는 옛날 산업이 발달하지 않았을 때

돌마바흐체 궁 입구

15. 점점 이슬람교가 좋아진다.

이야기이니, 지금은 사십일조, 아니 오십일조라도 충분하다고 생각한다.

사실 하나님께 바치는 것이니 십일조든, 사십일조든, 오십일조든, 상관이 있겠냐마는, 하나님이 쓰시는 것이 아니라 그 용도가 아리송하니 하는 말이다.

그냥 생각난 김에 말하는 것이니 이단으로 몰지 말고 생각을 한 번 해 보시라!

그러지 않아도 기독교의 교세가 위축되고 있는데, 오십일조로 바꾸면 더 많은 사람들을 하나님 말씀으로 인도할 수 있지 않을까?

이스탄불 돌마바흐체 사원

16. 열심히 일하는 건 아름답다.

2007.3.24 토

바흐체세히르 대학에서 외국인 학생들을 위해 이스탄불과 앙카라 중간에 있는 볼루라는 곳에 놀러 가는 계획에 우리도 동참하기로 했다.

토요일 아침 6시 반에 출발하여 밤 10시에 돌아오는 계획인데, 볼루(Bolu)는 숲과 온천으로 유명한 곳이라 한다.

볼루 남서쪽 55km 되는 곳에는 아반트 호수(Abant Lake)라는 산정호수가 해발 1,500미터에 위치해 있고, 일곱 개의 호수라는 뜻을 가진 예디괼러(Yedigöler) 국립공원이 있으며, 남쪽 11km에는 괼쥑(Gölcük)이라는 인공 호수가 있다.

볼루 가는 길 고속도로 휴게소에서

16. 열심히 일하는 건 아름답다.

볼루 숲 속의 펜션

에디꼴러의 '꼴'이나 꼴죽의 '꼴'은 우리 말 '골'과 같은 무리의 말로서 '물' 의 뜻을 가지고 있다.

'골짜기'의 '골'이나 강의 옛말인 '가람', 갈대의 '갈', 바이칼의 '칼', 나이아가라의 '가라'는 모두 같은 무리의 말이다.

볼루는 BC 200년 전 히타이트왕국 시대의 주요 도시 중의 하나였으며, BC 500년 전에는 비티니아(Bithynia) 왕국을 이끌어가던 도시였다 한다.

그 이후, 헬레니즘 시대에는 헬레니즘을 대표하는 도시였고, 로마시대에는 클라디우스 황제의 이름을 따 클라디우스라 불려졌다.

아침 일찍 차를 타고 보스포러스 해협을 건너 달리는데, 주위의 산

볼루

아반트 호수

들은 우리나라의 산들과 그 모양이 비슷하다.

3시간 이상을 달려서 볼루로 들어서는데 산위로 한참을 올라간다.

왼쪽으로는 완전히 낭떠러지이고 저 밑으로는 산봉우리들이 보이는 것이 마치 마추피추에 올라 온 것과 흡사하다.

10시에 도착한 곳은 아침 식사를 하기 위한 곳으로서 산 중턱인데 공기가 차고 맑고 시원하다. 펜션과 식당을 경영하는 집인데, 들어가 보니 아침 식사를 잘 차려 놓았다.

여러 종류의 치즈와, 잼, 꿀, 그리고 빵이다.

아침을 잘 먹고 밖으로 나와 경치를 보니 물은 수량은 많은데 황갈색으로 깨끗하지 않다.

16. 열심히 일하는 건 아름답다.

다만 이 집은 나무 위에도 방갈로를 지어 놓고, 식당 주변에 몇 채의 집들을 지어 놓고 놀러오는 사람들에게 민박을 준다.

아침을 먹고 주위를 산책한 다음 차를 타고 아반트 호수로 간다.

아반트 호수는 아직 얼음이 완전히 녹지 않아 여기저기 갈라져 있고 산 위에는 흰 눈이 쌓여 있다.

호수 주위로 한 바퀴 도는 길이 8km라 한다.

마차를 타고 가면 마차 하나에 넷이 탈 수 있는데 40리라라 한다.

이 호수 주변으로는 여름이면 수선화가 장관이라는데, 겨울 호수도 한적해서 좋다.

차를 타고 호수 주변을 한 바퀴 놀면서 구경을 하고 이제 점심을

아반트 호수

볼루

먹으러 간다.

볼루에 있는 대학의 학생식당이라는데, 호텔 식당처럼 깨끗하고 좋다. 미리 예약을 해두어서인지 음식이 곧 나오는데, 샐러드부터 시작해서 양고기 삶은 것, 그리고 후식으로 호박 삶은 것을 설탕물에 절인 것까지 풀코스로 나오는데, 음식 맛이 꽤 괜찮다.

단지 술이 없어 반주를 못하는 것이 아쉽기는 하지만.

날씨는 아침 나절에 흐렸다가 햇볕이 쨍쨍 쬐더니만, 이제 억수같이 비가 퍼붓는다.

다시 버스를 타고 또 다른 호수로 간다. 작은 호수라는 뜻의 골죽이라는 호수이다.

아반트 호수가의 마차들

16. 열심히 일하는 건 아름답다.

골죽 호수: 터키 대통령 게스트하우스

    나중에 알았지만 이 호수는 인공 호수라는데 이렇게 자연스럽게 아름다울 수가 있나 싶을 정도로 아름답다.

    호수에는 건너편의 대통령 게스트 하우스가 울창한 숲에 싸여 물가에 고즈넉이 자리 잡고 있는데 어느 쪽에서 보든 너무나 아름답다.

    지금까지 터키 땅에서 큰 나무들이 숲을 이룬 것을 보지 못했는데 여기는 아니다.

    정말 아름드리나무들이 빽빽하고, 호숫가를 따라 한 바퀴 돌 수 있는 산책로가 잘 나 있을 뿐 아니라, 산책로 옆 숲 속에는 화로까지 갖추어져 있는 비 피하는 집들도 있고, 나무로 된 식탁이 있어 소풍 나온 이들을 환영하고 있다.

    비는 간간히 뿌리더니 멈춘다.

볼루

골죽 호수: 터키 대통령 게스트하우스

골죽 호수: 터키 대통령 게스트하우스

16. 열심히 일하는 건 아름답다.

호수를 한 바퀴 도는데 일행 중 한 분이 손짓으로 부른다.

새끼가 아니라 등에 업힌 놈이 수놈이고, 밑의 놈이 암놈이며, 이들이 자손 번성을 위해 한참 열심히 일을 하고 있는 것이다.

이놈들은 엉기적엉기적 기어가면서도 일은 잘 치른다.

괜히 오해할 뻔했다.

여하튼 열심히 일하는 건 아름다운 일이다.

우리도 열심히 일을 해야 한다.

호수 건너편에는 터키 대통령의 게스트 하우스가 그림처럼 앉아 있다.

주변의 경치와 어울려 한 폭의 그림 같다.

언젠가는 내가 저곳에서 하룻밤 묵을 수 있을지도 모른다.

열심히 일하는 두꺼비

볼루

124

골죽 호수: 터키 대통령 게스트하우스

그래서 사진도 여러 장 찍어 놓고 잘 봐 두었다.

호수를 한 바퀴 돌아 다시 입구로 나온다.

입구 쪽에는 숲 속에 모스크가 자리 잡고 있다.

그리고 다시 버스를 타고 이스탄불로 향한다.

시간은 5시 정도 되었으니 볼루에 있는 14세기에 지었다는 위대한 모스크라는 뜻의 울루 자미(Ulu Camii)라도 들르려나 하였는데 그냥 이스탄불로 간단다.

호수 두 개 보는 것으로 오늘 일정은 끝인 모양이다.

볼루가 히타이트 왕국의 주요 도시 중의 하나라는 말을 들었기에 혹 고고학적인 그 무엇이라도 볼 수 있을까 하였지만 일찌감치 기대를 접

16. 열심히 일하는 건 아름답다.

는다.

이제 금방 이스
탄불에 도착하고 바
흐체세히르엔 8시면
도착하리라 기대하였
는데 어찌된 것인지
올 때보다 시간이 배
는 걸리는 것 같다.

결국 원래 예정
대로 밤 10시가 되
어서야 숙소인 바흐
체세히르에 도착한
다.

따라다니며 구경
만 한 우리가 이렇게
피곤한데 외국 학생
들을 데리고 다니는
데 책임을 지고 있는
아이세(Ayse: 직원 이
름)는 얼마나 피곤할
까?

그리고 하루 종
일 새벽부터 밤까지

골죽 호수가의 꽃

볼루

골죽 호수가의 모스크

운전을 해주는 운전수 할아버지는 정말 피곤할 것 같다.

　다시 또 한 시간 정도를 달려 베식타쉬로 돌아가야 하니······.

　여하튼 이 분들께 감사하며 발을 씻고 침대로 들어간다.

16. 열심히 일하는 건 아름답다.

17. 주인과 종의 구분은 신분에 있는 것이 아니다.

2007.3.29 목

점심을 먹고 여행사에서 이집트 여행 프로그램을 알아보기 위해 길을 나섰다.

대충 방향을 잡고 나아가다 탁심이라는 표지판을 따라 커다란 운동장을 둘러서 올라가다 보니 옆으로 공원이 있다.

사이르레르 공원이다.

공원을 지나 대충 방향을 잡아 가면서 보니 옷가게 등 많은 가게들과 사람들이 있는 번화가이다.

언덕 위로 오르는 길을 택하여 계속 오르다보니 200미터 정도 지속되는 담벼락이 나타난다.

스타디움

이스탄불 쉬쉬리

128

샤이르레르 공원

샤이르레르 공원 옆 사원

17. 주인과 종의 구분은 신분에 있는 것이 아니다.

벡시타시에서 쉬쉬리 쪽 방향

길 건너 여행사가 보이기에 들어가 물어본다.

그러나 이집트 여행 패키지는 없다고 한다.

그러면서 하르비예(Harbiye)로 가면 많은 여행사가 있다며 다른 여행사를 소개해준다. 지도까지 그려가면서.

가르쳐주는 것을 보니 탁심(Taksim) 쪽으로 난 큰 길이다.

이곳은 쉬쉬리(Şişli)란다.

전혀 엉뚱한 곳으로 온 것이다.

다시 여행사들을 찾아 돌아다니며 알아본 결과 이집트 여행 패키지가 없는 것은 아니되, 터키 가이드가 붙고 호텔과 비행기 표만 끊어주는 것이 고작이다.

한국처럼 그룹 투어 프로그램이 발달되어 있지 않다.

이스탄불 쉬쉬리

쉬쉬리의 상점

허긴 국민소득이 아직 해외여행을 다닐 정도로 높은 것은 아니니……

한국도 해외여행을 즐길 만큼 소득이 높은 것은 아니나 주변 동남아 국가들의 물가가 싸다보니 해외여행이 일종의 유행이 되다시피 되었고 소비풍조가 높아진 것 아닌가 싶다.

좀 자중할 필요가 없는 것은 아니지만 우물 안 개구리를 면하고 새로운 것을 접하는 것이 그대로 소비만은 아니라는 것이 내 생각이다.

잘 사는 곳은 잘 사는 대로 교훈을 얻고, 못사는 곳은 못사는 대로 반면교사로 삼으면 되는 것이다.

거기에다가 우리와 다른 것들을 통하여 새로운 또 다른 아이디어를

17. 주인과 종의 구분은 신분에 있는 것이 아니다.

얻는다면 그것이 어찌 소비라 탓할 것이 되겠는가?

결국 터키 여행사를 통한 이집트 여행은 단념하고 한국에서 오는 여행에 끼어드는 방법이 가장 나을 것 같다.

배낭여행은 매력은 있으나 우리 나이에는 돈이 오히려 더 들 것 같다.

그렇지 않아도 이집트는 관광수입으로 사는 나라인 만큼 외국인에게는 4-5배 바가지 씌우는 것이 보통이라 하지 않는가?

여행사에서 필요한 프로그램을 얻지는 못했지만 거리 구경은 잘 했다.

이럭저럭 탁심에 이르러 로터리의 동상은 눈에 익은데, 지난번 왔던

데모크라시 공원으로 드는 문

이스탄불 쉬쉬리

132

데가 어디인지 모르겠다.

바투와 무라트를 따라 그냥 음식점으로 갔으니 잘 기억이 나지 않을 수밖에.

주내가 길눈이 어두운 것이 이해가 간다.

졸졸 따라다니는 것이 편하기는 하겠지만 그만큼 거리가 머릿속에 각인되지는 않는 것이다.

탁심 로타리의 동상

무엇이든 자신이 주인이 되어 적극적으로 움직여야 하는 법이다.

시키는 대로 또는 남이 하는 대로 따라가는 것은 일시 편하기는 하겠으되 스스로 찾아서 하는 것과는 그 결과가 확연히 다른 것이다.

일반적으로 볼 때, 종의 팔자는 편하고 주인의 팔자는 고달프다.

그러나 그러한 고달픔 속에서도 기쁨은 있는 것이니 다른 이들에게 베풀 수 있는 특권이 주어지는 까닭이다.

이것이 주인과 종과의 차이 아니겠는가?

17. 주인과 종의 구분은 신분에 있는 것이 아니다.

그러나 다른 면에서는 주인이 편하고 종이 고달프다.

편하고 고달픈 문제는 함께 있으되 그 내용이 다른 것이다.

종의 고달픔 속에는 애환만 깃들어 있는 것이 아니다.

자신의 고달픔으로 주인에게 이로움을 베

탁심: 한쪽 로터리 담벽

풀 수 있는 자신을 발견할 수 있다면 그것은 또 다른 기쁨으로 전환될 것이다.

그러나 자신의 고달픔 속에 애환과 고통만 깃들어 있음을 한탄하고만 있다면, 그것은 자신의 일에 대한 주인 의식이 결여되어 있기 때문이다.

주인은 새로운 것, 창조적인 것, 미지의 것에 대해 도전적이어야 한다.

그래야 제대로 주인 노릇을 할 수 있는 것이다.

이스탄불 탁심

134

종은 시키는 것, 따라서 하는 것, 알고 있는 것을 충실히 이행하기만 하면 된다.

주인과 종의 구분은 신분에 있는 것이 아니고 자신의 마음속에 있는 것이다.

주인이 될 것인가 종이 될 것인가는 자신이 결정하는 것이지 결코 다른 이들이 결정해 주는 것이 아니다.

그렇다면 그대는 주인이 되겠는가? 종이 되겠는가?

이 세상 모든 일에 다 주인이 될 수는 없다.

만약 그렇게 하려 하는 사람이 있다면 그는 분명 자기 신세를 자신이 달달 볶는 미련한 사람일 것이다.

그렇다고 이 세상 모든 일에 다 종이 될 수는 없는 것이다.

세상이 하는 대로 물결치는 대로 휩쓸리고, 바람 부는 대로

탁심: 정교회 건물

17. 주인과 종의 구분은 신분에 있는 것이 아니다.

흔들리고, 다른 사람들에게 묻어가는 것은 어찌 보면 편할 것 같으나, 자신의 존재에 대한 가치를 망각하고 자신을 구현하지 못해 결국 자신의 정체감에 회의를 느끼게 될 뿐이다.

그래서 모든 일에 다 주인이 될 수도 종이 될 수도 없는 것이다.

때로는 종이 될 필요도 있고 때로는 주인이 될 필요도 있는 것이다.

어떤 일은 다른 이를 따르고 어떤 일은 자신이 주인이 되어 다른 이들에게 베풀어야 하는 것인데, 그것은 전적으로 자신의 취미와 능력과 의지에 따라야 하는 것이다.

이스탄불 탁심

18. 탁심: 왜 내가 여기에만 오면 전차가 오는 것일까?

2007.3.29 목

기억을 회상하다 보니 전차가 지나갔었는데……

그런데 오늘은 전차가 보이지 않는다. 전차가 보이지 않는다고 그 곳이 그 곳이 아닌 것은 아니다.

이리저리 다니며 길바닥을 보니 전차길이 있다.

자 이제는 길을 찾았으니 방향만 결정하면 된다.

그것은 어려운 일이 아니다.

사람들이 많이 가는 쪽으로 가면 된다. 지난번에도 그랬으니까.

지난번 갔던 식당을 찾아 가다 보니 전차가 온다.

탁심: 전차

18. 탁심: 왜 내가 여기에만 오면 전차가 오는 것일까?

탁심: 정교회 건물

왜 내가 여기에만 오면 전차가 오는 것일까?

전차는 전차대로 지가 알아서 오는 것이고 나는 나대로 지난번 왔던 식당을 찾아 이곳에 서 있는 것 뿐이라고 한다면, 그것은 분명 우문(愚問)일 것이다.

그러나 옷깃만 스쳐도 인연이라 하지 않던가?

이 우주 속에서 내가 나로서 존재할 수 있는 확률만 하더라도 그것은 기적에 가까운 확률일 텐데, 게다가 당신이 존재할 수 있는 확률 역시 그러할 것이고, 당신과 내가 만나 옷깃을 스칠 수 있는 확률은 내가 존재하는 확률과 당신이 존재하는 확률을 곱한 것이 될 것인즉, 그것은 곧 무한대의 확률일 것이고, 그것은 늘 우연을 가장하여 찾아올 수밖에

이스탄불 탁심

138

쉬쉬리 쪽 언덕에서 본 바다

없는 것이다.

　이러한 무한대의 확률 속에서 이루어지는 우리의 만남은 그만큼 값진 것이 되어야 하는 것 아니던가?

　그러니 만나는 것마다, 만나는 사람마다, 만나는 순간순간마다, 그 진기한 가치를 망각해서는 안 되는 것이다.

　모든 존재하는 것은 값진 것이다.

　그것이 한낱 미물일지라도…….

　그러니 만남을 소중히 여기고 늘 감사하라. 그리고 성실히 대하라.

　결국 식당을 찾아냈다.

　나는 한다면 한다!

18. 탁심: 왜 내가 여기에만 오면 전차가 오는 것일까?

이제 목적은 달성했으니 베식타쉬로 되돌아가야 한다.

전에는 있는 듯 없는 듯 지나쳤던 정교회 건물을 사진에 넣고 계속 걷는다.

먼젓번 택시에서 내린 곳을 확인하고 방향을 잡는다.

곧 언덕 밑으로 바다가 보일 것이다.

내려가다 보니 한 무리의 사람들이 데모를 하고 있다.

무슨 불만이 있어 저러는가? 원하는 대로 해줄 수는 없는 것일까?

허긴 저러는 것이 평범한 우리 일상의 한 부분인 것이다.

비행기에서는 바다가 잔잔해 보여도 실제 바다에서는 폭풍이 불지 않더라도 파도가 치고 잔물결이라두 이는 것이다.

데모대

이스탄불 쉬쉬리

언덕을 내려가니 스타디움이 보이고 바닷가의 베식타쉬 모스크가 아름답게 자리 잡고 있는 것이 보인다.

얼마 되지 않아 돌마바흐체 궁전의 아름다운 문과 높은 담벽을 지나 학교에 도착한다.

점심 먹고 떠난 지 어언 3시간이나 되었다.

이렇게 가까운 거리를!

20분이면 족한 거리를 장장 세 시간이나 걸은 것이다. 운동 한번 잘 한 셈이다.

인생이 이와 같지 않을까?

20분 걸을 거리를 3시간 걸려 가는 것은 아닐까? 그리고는 '운동

돌마바흐체 궁의 문

18. 탁심: 왜 내가 여기에만 오면 전차가 오는 것일까?

베식타쉬 모스크

잘 했다', '구경 잘 했다'고 하는 것처럼…….

3시간 걸렸다고 결코 손해 보는 것은 아닐 터인데, 혹자는 시간을, 가는 동안의 수고를 아까워하는가 하면, 혹자는 그것을 긍정적으로 생각하고 받아들인다.

그러니 원함에 따라 때로는 20분 걸려야 하고, 때로는 3시간 걸려야 하는 것이다.

신은 우리에게 이러한 다양함을 제공해 주시는 것이다.

선택은 우리에게 달려 있는 것이니…….

이스탄불 쉬쉬리

19. 톱카프 성의 잔해들

2007.4.1 일

8시 기차를 타러 7시 반에 나갔는데 이스파타쿨레(Ispatakule) 역에 도착하니 7시 35분인데 역사 문이 잠겨 있다.

역사를 이리저리 살펴보니 이스탄불로 가는 기차는 8시 24분에 있다.

추운 데서 떨고 있을 수도 없고 대합실도 잠가 놓았으니 다시 숙소로 돌아간다.

잠시 앉아 있다가 8시가 되어서 다시 집을 나선다.

이제는 역사 문을 열어 놓았다. 직원 겸 역장인 분이 역 내외를 청

이스파타쿨레 역 역장실 골동품들

기차 속

소하고 있다.

　대합실에서　잠시　기다리다가　차표를　샀다.　일인당　1.75리라(약 1,100원 정도)이다.

　손님은 우리뿐이다.

　그러더니 역장실로 들어오란다.

　들어가니 소파에 앉으라며 차를 타 준다.

　터키에서 살면서 느끼는 것이지만, 터키인들은 참으로 친절한 사람들이다.

　그리고는 이 역이 작년에 생겼는데 자기 혼자 모든 걸 도맡아 한다고 한다.

이스탄불 바흐체세히르

그리고는 선반 위에 진열되어 있는 역무원 모자며 랜턴이며 등등을 골동품이라며 자랑한다.

따끈한 홍차 한 잔을 다 마시자 기차가 들어온다.

고맙다고 인사를 하고 차에 올라탄다.

기차는 한쪽 편이 통로이고 다른 쪽 편은 방으로 되어 있는데 그 안에는 의자가 세 개씩 마주보고 배치되어 있다.

벌써 어떤 청년 하나가 앉아 있다.

함께 가면서 이것저것 그 동안 배운 터키 말로 물어보다가 답답하니 영어가 튀어 나온다.

이 청년은 여자 친구를 만나러 이스탄불에 간다고 한다.

톱카프 성의 잔해

19. 톱카프 성의 잔해들

톱카프 성의 일부

이스탄불 가까이 이르러 바다가 보이기 시작하자 사진기를 잡고 바닷가에 세워놓은 잣[城]의 잔해들을 찍는다.

이 톱카프 성의 잔해들만 보아도 오스만 터키의 위용을 짐작할 수 있다.

정말 유적, 유물, 보물들이 널려 있는 나라이다.

이스탄불에 내려 톱카프 궁전 옆의 고고학박물관으로 향하여 가는데 옆으로 전차가 지나간다.

파란 색깔의 전차이다.

길옆에는 양탄자를 파는 가게가 있다.

주인이 들어오라며 설명을 한다.

이스탄불 톱카프

전차

들어가기는 싫은데 주내가 들어가 보잔다.

주내 말로는 우리 아파트 거실에 양탄자가 필요하니 가격이라도 어느 정도 되나 알아보겠다는 것이다.

주인은 이것저것 꺼내 놓으면서 양탄자는 면, 면과 비단, 비단, 면과 모로 된 것이 있으며, 이 가운데 비단으로 짠 것이 가장 비싸고 그 중에서도 터키 비단으로 짠 양탄자가 품질이 최고란다.

주내가 2m x 3m 크기의 양탄자에 관심을 보이자 이것은 중국 비단으로 짠 양탄자가 아니라 터키 오리지널 비단 실을 가지고 손으로 한 올 한 올 짠 양탄자라며 3,000리라라 한다.

나중에 오겠다며 주내가 명함을 받고 나왔다가 다시 들어가 7월에

19. 톱카프 성의 잔해들

한국 갈 거니까 그때 사러 오겠다며 얼마까지 해줄 수 있는가 물었더니 반 뚝 잘라서 1,750리라에 해주겠다고 했단다.

1,750리라면 1리라가 700원이 채 안 되니까, 대충 셈을 해봐도 10만 원 정도밖에 안 되는 것 아닌가!

주내 말로는 한국에선 굉장히 비싸단다.

내 생각으로도 한국에서는 적어도 한 50만 원 정도는 주어야 할 거 같다.

그렇다면 하나 사다 까는 것도 괜찮겠다 싶다.

그런데 이건 순 착각이었다.

나중에 다른 카펫 가게에 들려 물어보니 대부분 그 크기에는 3,000

이스탄불 역

이스탄불 톱카프

제이넵 술탄 자미

리라를 부르고 2300-2400리라 정도로 깎아 주겠다고 한다.

아까 그 첫 번째 양탄자 주인이 정말 싸게 주는 것 같아 다시 한 번 계산을 해보았더니, 그러면 그렇지 그렇게 쌀 리가 있나!

10만원이 아니라 100만원이다. 3,000리라를 주면 200만원이고.

이런 걸 보면 주내나 나나 참 세상 물정에 어두운 사람들이다. 계산도 제대로 못하고.

한쪽이 못하면 다른 한쪽이라도 잘 해야지 서로 보완이 되는 건데, 똑같이 맹숭이니…….

그렇지만 서로 잘못이니 다툴 일은 없겠다.

그래서 같이 잘 산다.

19. 톱카프 성의 잔해들

149

20. 히타이트 시대에는 사자가 곰처럼 생겼었나?

2007.4.1 일

고고학 박물관(Archeological Museum)은 일인당 10리라이다.

박물관에 들어서서 왼편으로는 오리엔트 박물관이 있고, 그 앞은 돌로 된 사자 두 마리가 지키고 있다.

사자라기보다는 곰처럼 생겼는데 설명을 보니 BC 8세기경의 후기 히타이트 왕국 시대의 사자상이란다.

정말 사자일까? 의심이 든다.

분명 곰인데…….

히타이트 시대에는 사자가 곰처럼 생겼었나?

고고학박물관 지킴이: 사자라고? 곰 아냐?

이스탄불 고고학박물관

150

흙으로 만든 해시계

아님, 설명한 사람이 사자만 보고, 곰은 전혀 보지 못한 사람일 게다.

안에는 주로 소아시아 지역에서 출토된 히타이트 왕국 시대의 유물들이 놓여 있다.

새와 뱀의 대화

흙으로 만든 해시계며, 그릇이며, 미라 등이 전시되어 있다.

또한 돌에 조각된 황소며, 소사람(머리는 소, 몸은 사람)이며, 돌로 만든 제단 등이 눈길을 끈다.

돌에 조각된 것들을 보면, 등에 날개를 단 사람의 전신상도 있고, 공물을 바치는 사람들을 조각해 놓은 것도 있는데 그 가운데에는 소뿔

20. 히타이트 시대에는 사자가 곰처럼 생겼었나?

새(날개) + 사람

이스탄불 고고학박물관

엔릴 신에게 바치는 구데아의 공양

로 장식한 모
자를 쓴 사람
도 있다.

조각된 사
람들 모습은
모두 네모난
수염을 달고
있다.

그 당시
유행 때문에

모두 수염을 그렇게 손질한 것인지 일종의 가발 같은 것인지는 모르겠다.

어쩌면 장식용으로 만든 수염을 그렇게 달고 있는 것인지도 모른다.

붉은 진흙판에 쐐기문자로 쓴 책도 있고, BC 2,000년 전에 만든

'엔릴 신에게
바치는 구데
아의 공양'이
라는 제목의
그릇에는 마
치 한자 같은
것이 쓰여 있
어 눈길을 끈
다.

그렇다면

진흙판에 쓴 책

20. 히타이트 시대에는 사자가 곰처럼 생겼었나?

히타이트 왕국을 건설한 사람들은 우리 민족과 무슨 연관성이 있을지 모른다.

사전이나 역사책에는 히타이트가 기원전 2000년 무렵 소아시아에서 일어난 인도·유럽어족에 속하는 고대 시리아 민족이 세운 나라이며, 철기문화를 메소포타미아에 전파하였다고 되어 있으나, 이는 서양학자들이 동이의 역사를 훔쳐간 것일 가능성이 높다.

한자를 만든 것도 동이족이고, 히타이트의 말뿌리에서 '히'는 분명 '해'를, '트'는 '터'를 뜻하는 동이의 옛말이 분명할 것이기 때문이다.

이뿐만 아니라 이곳에서 출토된 각종 유물들도 이를 뒷받침한다.

또한 새와 뱀이 조각된 돌도 있고, '돌에 새긴 소'에서는 마치 박수

돌에 새긴 소

이스탄불 고고학박물관

근의 작품을 보는 듯 순박한 정감이 느껴진다.

　밖으로 나오니 본관 앞 정원에는 이오니아식 코린트식 도리아식 기둥이며, 석관이며, 메두사의 머리 등이 전시되어 있다.

　본관 창 밑으로도 2미터가 훨씬 넘는 석관들이 대부분 자리를 차지하고 있으며, 돌을 파내어 만든 욕탕도 있다.

　본관으로 들어서면 일단 뉘신지는 모르겠는데 뿔이 양쪽에 돋은 거인 하나가 양인지 개인지 뒷다리를 잡고 서서 우리를 맞이한다.

　이를 보니 더더욱 동이족의 5부족 중 하나인, 소와 양을 토템으로 하던 우양족(牛羊族)의 일파가 세운 나라가 아닌가 생각이 든다.

　허긴 수메

대리석 욕탕

20. 히타이트 시대에는 사자가 곰처럼 생겼었나?

르 문명이 동
이족의 문명
임이 틀림없
는 만큼 히타
이트 역시 동
이족의 문명
이라 하여 이
상할 것도 없
다.

　참고로 수
메르 문명은
중국 사서에
동이족이 세
운 12한국 중
의 하나로서
수밀이한국(須
密爾汗國)으로
나온다.

뉘신지?

　오른쪽 홀부터 구경을 하는데, 주로 이곳엔 소아시아에서 출토된 2
세기 로마 시대에 만든 대리석 조각들이 전시되어 있다.

　설명을 보니 당시에 전문조각학교를 세워 조각가를 양성하여 이들을
만들었다는데, 전시된 작품 하나하나가 너무나도 정교하고 실감나게 조
각되어 있는 것을 보면 참으로 대단하다 싶다.

이스탄불 고고학박물관

사랑과 미의 여신 아프로디테

대리석을 마치 떡 주무르듯 했으니!

특히 여인의 젖가슴은 정말로 아담하니 예쁘게 조각되어 있다.

이들 조각들은 고대의 인물상과 함께 그리스 로마 시대의 전설이 표현되어 있다.

예컨대, 아테나 여신과 거인들과의 싸움을 묘사한 2세기쯤의 로마시대 작품에선 아테나 여신은 가냘프지만 예쁘고 용맹하게, 패퇴하는 거인들은 하반신이 뱀으로 표현되어 있다.

이러한 전설에서 거인은 동이족을 가리키는 것이다.

동이족은 키가 크고, 피부가 희며, 활을 잘 쏘는 민족으로 알려져 왔다.

이는 동이(東夷)의 이(夷)자에서 증명된다.

20. 히타이트 시대에는 사자가 곰처럼 생겼었나?

곧, 이(夷)자가 '큰 사람' 대(大)자에 '활' 궁(弓)자의 합자이기 때문이다.

이를 사람들은 대(大)자를 '클' 대(大)로 생각하여 '큰 활을 맨 사람'이라고 잘못 해석하기도 하는데 이는 잘못된 것이다.

이때 대(大)자는 '큰 사람' 대(大)자이다.

그리고 우리나라 활은 맥궁이라 하여 서양 활처럼 큰 활이 아니다. 그렇지만 사거리는 훨씬 많이 나간다 한다.

여기에서 피부가 희다 함은 백인처럼 거칠거칠한 비늘이 이는 하얀색이 아니라 뽀얀 부드러운 우리나라 사람들의 피부를 말한다.

하반신이 뱀으로 표현되는 것도 거인들이 동이족임을 나타내주는 증거이다.

아테나 여신과 거인과의 싸움

이스탄불 고고학박물관

동북아 신화에서 나오는 복희씨와 여와씨는 모두 동이족의 신들인데, 하반신이 뱀으로 묘사되기도 한다.

참고로 복희(伏羲, 伏犧)씨는 중국 사서에 포희(庖犧)씨로 기록되기도 하는데, 이는 우리말을 한자로 표기하였기 때문이다.

곧, '복' 또는 '포'는 '밝다'는 뜻의 옛말 '붉〉복/ㅂ/포'이며, '히'는 '해'의 옛말로서 '밝은 해'라는 뜻이다.

따라서 아테나 여신이 거인들을 물리치는 그리스 로마시대의 조각은 유럽 사람들의 주관적 시각을 반영하는 것일 뿐이다.

동이의 입장에서 볼 땐 터무니없는 것이지만, 돌을새김 한 그 솜씨만은 알아줄만 하다.

20. 히타이트 시대에는 사자가 곰처럼 생겼었나?

21. 알렉산더, 그 불쌍한 인생 여기에 눕다.

2007.4.1 일

한 바퀴 돌아 나와 다음 방으로 들어가니 바로 앞에 해골과 사체의 뼈가 유리관 속에서 우리를 맞이하고 그 옆으로는 사람 모양의 돌로 된 관이 두 개 놓여 있다.

그리고 그 뒤쪽으로는 2미터가 넘는 석관들이 전시되어 있다.

이 관들은 마치 돌로 된 집처럼 생겼는데, 대부분 시돈의 왕실 공동 묘지에서 가져온 석관들이다.

그래서 그런지 관 옆으로 빙 둘러가며 돌을새김 한 조각 솜씨가 보통이 아니다.

뼈만 남은 주검

이스탄불 고고학박물관

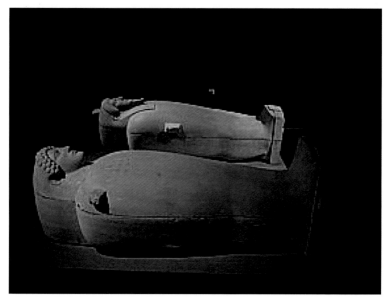

사람 모양의 석관

몇 개의 석관을 지나면 유리 상자 속에 석관이 하나 놓여 남다른 대우를 받고 있는데, 이것이 알렉산더 대왕의 석관이다.

석관의 높이는 2.6미터이고, 석관 앞에는 총천연색으로 그려 놓은 그림이 하나 있는데 바로 알렉산더 대왕의 전쟁하는 그림이다.

이 그림은 그 그림 뒤 석관 벽에 새겨진 인물상을 그대로 칼라로 표현해 놓은 것이다.

누구든지 석관을 보고 알렉산더가 누구인지를 알아보게 하려고 그렇게 해 놓은 것이다.

그러나 그러면 무엇하나?

아무리 세계를 제패한 대왕이라 하나 결국 죽어 석관 속에 뉘어 전

21. 알렉산더: 그 불쌍한 인생 여기에 눕다.

시되고 있는데. 세상에선 그를 영웅이라 하나 대부분의 영웅이 그러하 듯 결국 침략자에 불과하고, 얼마나 많은 사람들이 그 때문에 고생하고 죽어갔을까!

결국 그러한 업보는 너무나 큰 것이어서 죽을 때 피부병에 걸려 엄청 고생을 하였다 하니--옆에 간호하는 사람조차도 옆에 있기를 싫어하여 외롭게 죽어갔다고 한다--어찌 보면 참으로 불쌍한 인생이다.

알렉산더 대왕의 석관이 유명하여 이곳을 찾는 사람들이 많아졌다 하나 그것도 결국은 후세 사람들이 거기에 그냥 의미를 부여한 것일 뿐, 사실 다른 석관들과 별 차이가 있는 것은 아니다.

더욱이 석관 안에는 알렉산더의 시신이라 하여, 지금 유리관 속에

알렉산더 대왕의 석관

이스탄불 고고학박물관

알렉산더 대왕의 석관: 조각상

애도하는 여인들의 석관

21. 알렉산더: 그 불쌍한 인생 여기에 눕다.

전시되어 있는 누군지 모르는 '뼈만 남은 주검'과 다를 것이 없을 것이다.

알렉산더 대왕의 석관 뒤에는 애도하는 여인들의 석관(Sarcoph-agus of mourning women)이 있는데, 석관 벽면에 알렉산더의 죽음을 애도하는 여인들이 조각되어 있다.

여하튼 조각 하나는 명공의 솜씨이다.

그것이 전쟁하는 모습이건 애도하는 모습이건!

이스탄불 고고학박물관

22. 고고학 박물관: 우주목과 새

2007.4.1 일

이층으로 올라가니 소아시아에서 출토된 흙항아리들이 주로 전시되어 있다.

바깥으로 난 창문을 보니 맞은편이 바로 타일 박물관(모자이크 박물관이라고도 부른다)이다.

항아리

출토된 곳을 나타내는 그림과 발굴 당시의 사진도 전시되어 있는데, 그것을 보니 발굴된 곳이 모두 신라시대 봉분만큼 큰 봉분들이다.

흙항아리들을 지나면 다시 대리석으로 된 조각상들이 나타난다.

그 다음 방

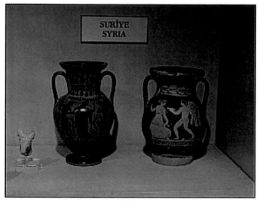

항아리

계수나무와 토끼?

에는 BC 1세기경에 흙으로 만든 옹관이 있다.

삼층으로 올라가면 바닥에 타일로 인물상과 여러 동물들을 모자이크한 것이 눈길을 끈다. 마치 양탄자를 깔아놓은 듯하다.

옆으로는 도리아식 돌기둥들이 진열되어 있고, 유리진열장 안에는 청동으로 된 새 모양의 등잔, 물고기 무늬의 깨진 그릇 파편 등이 있고, 가운데에는 대리석을 깎아내어 만든 계단까지 가져다 놓았다.

이 외에도 많은 조각들이 돌에 새겨져 있는데, 한 면은 곰을 가장한 사람, 다른 면은 개머리를 한 벌거벗은 사람이 조각되어 있기도 하고, 마치 토끼가 방아 찧는 듯한 모습이 조각되어 있기도 하다.

토끼가 방아 찧는 이야기가 이들에게도 있었던가?

이스탄불 고고학박물관

우주목과 새

저쪽 끝으로 가니 이곳에는 톱카프 궁전에서 발굴된 8-9세기경의 검은 대리석의 석관이 놓여 있고 그 벽면에는 우주목과 새가 돋을새김 되어 있다.

우주목은 신화에서 등장하는 수목신앙과 관계가 있는데, 아마도 여기에서는 천국을 상징하고, 우주목 밑에 있는 새들은 영혼을 천국으로 나르는, 곧 인간 세상과 하늘나라를 연결해주는 매체임을 상징한다.

그 옆으로는 5세기경 석관이 놓여 있는데, 그 벽면에는 예수의 이름을 상징화했다는 무늬(christogram)로 장식된, 화환을 나르는 천사의 모습이 돋을새김 되어 있다.

그 무늬는 동그라미 안에 여섯 개의 줄이 엇갈려 있는 무늬인데, 아마도 영혼을 상징하는 것 아닌가 생각한다.

22. 고고학 박물관: 우주목과 새

영혼을 나르는 천사들

예수의 이름을 상징화한 무늬

이스탄불 고고학박물관

168

밖으로 나와 1층으로 내려오면 이오니아식의 돌기둥들을 전시해 놓았
는데, 다름이 아니라 돌기둥의 머리 장식은 양의 머리를 형상화한 것이다.

양을 치던 유목 생활이 건축물에 반영된 것이리라.

한쪽 끝에는 트로이의 목마가 보이고 옛날 굴을 파거나 띠집을 짓고
살았던 모형이 보인다.

바깥쪽에는 아이들이 좋아하는 박물관이 따로 마련되어 있는데, 흙으
로 만든 고기, 새, 닭, 돼지, 개 등 주로 짐승들 토용이 진열되어 있다.
박물관에서 본 많은 유물들 속에는 동이족의 흔적들이 많이 남아 있다.

소머리 사람이며, 양머리 장식이며, 토끼와 계수나무며, 우주목과 새
의 조각들이며……

소아시아는 동양 민족과 서양 민족의 각축장이었기 때문에 이와 같이

양머리 기둥 장식

22. 고고학 박물관: 우주목과 새

동서 양쪽의 유
물들이 혼재되어
있는 것이리라.

한때는 수메
르처럼 고대 소
아시아를 아마도
동이족들이 지배
했을 것이다.

타일로 만든 모자이크

본관 앞에는
타일박물관이 있
는데, 타일을 모
자이크 처리하여
모자이크 박물관
이라고도 부른
다.

타일 박물관
에 들어가기 전
오른쪽에는 야자

모자이크 창문

나무 밑동처럼 돌을새김 된 돌기둥이 윗부분이 부서진 채 남아 있다.

타일 박물관에는 도자기 그릇 등과 함께 여러 개의 방들이 중앙의
방을 중심으로 나뉘어 있는데 모자이크 처리된 벽면이 아름답다.

또한 천정의 무늬와 벽면 상층부의 채광을 위한 창의 모자이크도 너
무나 아름답다.

이스탄불 고고학박물관

23. 지하궁전에서 이를 가는 메두사

2007.4.1 일

밖으로 나와 소피아 사원 쪽으로 가다가 드디어 지하궁전이라는 비잔틴 시대의 지하 물탱크를 발견하였다.

들어가서 보니까 그것은 출구이다.

입구를 물어보니 가르쳐 주는데 그 전에 몇 번 지나다니던 곳이었다.

입구를 보니 예레바탄 사르느즈(Yerebatan Sarnıcı)라고 하는 동판이 걸려 있다.

'예레'는 '땅에'라는 뜻이고, '바탄'은 '밑' '빠지다'라는 뜻이며, '사

비잔틴 지하 저수지

르느즈'는 '궁전'
이라는 뜻이니
말 그대로 지하
궁전이다.

어쩐지 사람
들이 몰려 있더
라니!

10리라씩 주
고 들어가니,
와! 그 규모가
대단하다.

수많은 돌기
둥 사이로 조명
시설이 비추는
붉은 불빛이 지

비잔틴 지하 저수지: 돌기둥

하궁전이라 할 만하다.

길이가 140미터, 폭이 71미터이고 높이가 9미터라는데, 이 물탱크
를 받치고 있는 기둥의 수만 336개라 한다.

정말인지 세어보려다 그만둔다. 세다가 헷갈릴 가능성이 높기 때문
이다.

내가 왜 바본가? 어차피 헷갈릴 거 세어 볼 필요가 없는 것이다.

안 보았으면 후회할 번했다.

시민들의 식수를 해결하기 위해서 약 19Km 떨어진 벨그라드 숲에

이스탄불 예레바탄 사르느즈

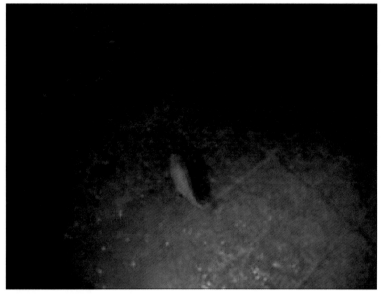

지하궁전의 물고기

서 끌어온 물을 저장하기 위해 비잔틴 제국의 유스티니아누스 황제가 532년에 완공한 것이라는데 약 8만 톤의 물을 저장할 수 있다고 한다.

밑의 물을 보니 바닥이 보이는데 50 센티미터 이상 되는 큰 물고기들이 돌아다닌다.

이제는 양어장이 된 모양이다.

코린트 양식의 돌기둥 사이로 낸 길을 따라 이곳저곳을 살펴보나 그저 비슷비슷할 뿐이다.

웅장함 그 자체는 볼 만하나 다른 것은 별로 볼 것이 없다.

다만 이들 기둥 중에는 고대 그리스신전에서 운반해온 돌기둥들도 있고, 한쪽 끝 부분에는 그러한 돌기둥을 받치고 있는 받침돌로 메두사

23. 지하궁전에서 이를 가는 메두사

의 머리돌이 사용되었다는 점이 사람을 끈다.

메두사의 머리로 된 주춧돌을 보기 위해 사람들이 몰리는 것이다.

가보니 메두사의 머리도 똑바로 놓인 것이 아니고, 어떤 것은 옆으로, 어떤 것은 거꾸로 놓여 있다.

메두사로서는 참으로 치욕을 느끼지 않을 수 없는 포즈이다. 참으로 한탄스러울 것이다.

당당하던 메두사가 이런 수모를 당하다니…….

지금은 물탱크의 기둥을 옆머리가 찌그러지도록 또는 머리를 꼬나 박고 목 부분으로 받쳐주고 있지만 아마 속으로는 이를 갈고 있을 게 다.

한 바퀴 휘 돌아 나오는데 그리 많은 시간이 걸린 것은 아니라서 입장료가 비싼 것 아닌가 생각도 들었으나, 어찌되었든 이 지하 저수지 는 그 웅장함과 메두사의 머리만으로도 충분히 그 명성을 이어갈 수 있 을 것이다.

이 지하궁전이 로마 사람들의 작품이니, 메두사가 수모를 당하는 것 도 이해가 간다.

백인들의 전설이나 신화에서 나쁜 놈이나 나쁜 것으로 나오는 것은 모두 다 동이족에게는 훌륭한 분들이나 좋은 것으로 보면 대충 맞다.

메두사도 마찬가지이다.

뱀들이 뒤엉켜 있는 머리카락만 하더라도 동이의 신들에게서 흔히 볼 수 있는 것들이다. 예컨대, 해와 경주하던 동이의 영웅 과보(夸父) 의 그림을 보더라도 머리에 뱀을 두르고, 손에 꿈틀거리는 뱀을 쥐고 달리면서 해와 겨루고 있다.

이스탄불 예레바탄 사르느즈

메두사의 머리

또한 중국 산동성 가상현 무량사의 석벽에는 복희씨와 여와씨의 하체가 뱀으로 표현되어 서로 꼬고 있는 그림이 있다.

이런 그림들은 중국인들이 동이족인 과보나 복희, 여와씨를 모독하기 위해 그렸다고 전한다. 아마도 뱀이 흉물스럽게 느껴지기 때문이리라.

결국 자기 편은 우아하고 예쁘게 표현하고, 적은 비열하고, 흉측스럽게 표현하는 것이 서양이나 동양이나 마찬가지이다.

메두사 역시 처음부터 그렇게 흉측한 얼굴은 아니었다.

오히려 그리스 신화에 따르면, 메두사는 아주 미모가 출중한 여인이었다 한다.

23. 지하궁전에서 이를 가는 메두사

오늘날로 따지면, 미스 유니버스쯤 되는 미모를 가지고 있었는데, 이렇게 예쁜 여인이 바다의 신 포세이돈과 사랑에 빠져 아테나 여신의 신전(神殿)에서 정을 통하던 중, 재수 없게도 아테나 여신에게 들키게 되었고 화가 난 아테나 여신이 저주를 내려 흉측한 괴물로 변하게 되었 다고 한다.

곧, 화가 난 듯 무섭게 부풀은 얼굴에 툭 튀어나온 눈, 크게 찢어진 입, 길게 늘어뜨린 혀, 멧돼지 어금니처럼 뾰족한 이빨, 용의 비늘로 덮 여진 목, 뱀들이 뒤엉킨 머리로 변한 것이다.

이러한 메두사를 직접 보는 사람은 돌로 변한다 한다.

이런 피해가 커지자, 이에 대해 막대한 책임을 느낀 아테나 여신은

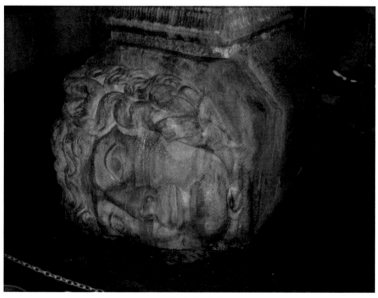

메두사의 머리

이스탄불 예레바탄 사르느즈

메두사의 머리

영웅 페르세우스를 시켜 메두사의 목을 자른다.

　　메두사의 얼굴을 직접 보면 돌로 변하기 때문에 페르세우스는 청동 방패에 비친 메두사의 모습을 간접적으로 보고, 단칼에 목을 잘랐다 한다.

　　내 생각에는 아마도 아테나 여신이 자기 집(신전)에서 포세이돈과 통정하는 메두사를 보고 질투를 느낀 거 아닌가 생각한다.

　　아마도 아테나 여신은 포세이돈을 마음에 둔 거 아닌지 모르겠다.

　　그게 아니라 하더라도 메두사의 미모에 대한 끓어오르는 질투심 때문에 메두사의 얼굴을 흉측하게 만들어 놓고도 분에 안 차 그 목을 자르게 한 것 아닌가?

23. 지하궁전에서 이를 가는 메두사

그리고는 자신의 행위를 정당화하기 위해 "메두사를 보면 돌이 된다."는 말도 안 되는 말을 퍼트렸을 것이다.

내 보기에 아테나 여신은 질투심 많은 고약한 여신일 뿐이고, 오히려 아름다웠던 메두사에게 정이 간다.

추측컨대, 메두사는 동이족의 일원이었을 가능성도 있다.

틀림없이 백인들의 질투심이 이런 신화를 조작한 것이리라.

어찌되었든 메두사로서는 힘없이 당한 것이 서러울 뿐이다.

그리스 신화만 아는 사람들은 지하궁전에서 머리를 꼬나박고 모멸을 당하는 메두사를 '나쁜 년!'이라며 조소를 흘릴지도 모른다.

특히 흉측한 뱀 머리 때문에 별로 호감을 표시하지는 않을 것이다.

아무리 중립적 입장을 띠더라도 그저 신기하게 바라볼 뿐이다.

오! 불쌍해라! 지하궁전의 메두사여!

세상이 이와 같다.

이긴 놈들이 역사를 꾸며 놓으면 전부 그게 다 진실인 줄 안다.

그러니 신화나 전설이나 역사를 보려면, 표현되어 있는 그 이면을 볼 줄 알아야 속질 않는다.

한 바퀴 휘 돌아 나오는데 그리 많은 시간이 걸린 것은 아니라서 입장료가 비싼 것 아닌가 생각도 들었으나, 어찌되었든 이 지하 저수지는 그 웅장함과 메두사의 머리만으로도 충분히 그 명성을 이어갈 수 있을 것이다.

24. 새로움을 발견하는 눈을 가진 것은 축복이다.

2007.4.1 일

밖으로 나와 히포드룸(Hipodrum)으로 간다.

히포드룸은 원래는 검투경기장이었는데 4세기경 비잔틴 황제에 의하여 검투 경기는 금지되고 마차경기장으로 바뀌었다는데 지도를 보니 블루 모스크라 불리는 술탄 아흐메트 모스크 옆에 있다.

블루 모스크 옆에는 오벨리스크가 두 개 서 있는데, 하나는 터키에서 세운 것이고 하나는 이집트에서 바친 것이라고 한다.

오벨리스크를 자세히 살펴보고 지도에 표시된 부분이라 생각하는 지점으로 가서 히포드룸을 물어보니 손가락으로 오벨리스크 쪽을 가리킨다.

몇 번을 물

오벨리스크

어도 마찬가지이
다.

　이 마차경기장
은 경마장으로 이
용하였을 뿐 아니
라 나중에는 왕위
계승을 위해 이곳
에서 전쟁을 하기
도 하였고, 13세
기 초 십자군전쟁
때 이곳에서 치열
한 접전이 이루어
져 대부분의 유적
이 파괴되었다고
인터넷 자료에 나
와 있어 그 유적

오벨리스크

이라도 보려 했으나 어디인질 모르겠다.

　나중에 알고 보니 지금은 오벨리스크를 둘러싸고 있는 이 지역이 바
로 옛날 히포드롬이 있던 자리였던 것이다.

　되돌아가는 기차 시간이 3시 넘어서 있으니 3시까지 역으로 가면
되기에 소피아 사원 앞에서 바다 쪽으로 블루 모스크 사이에 세워져 있
는 건물에 들어가 보기로 했다.

　옛 건물양식으로 세워진 것이 그것도 아마 박물관이지 싶어서였다.

이스탄불 히포드롬

카펫 박물관

카펫 박물관

24. 새로움을 발견하는 눈을 가진 것은 축복이다.

소머리 방짜 그릇

가보니 박물관은 박물관인데 양탄자 박물관이다.

안에는 방마다 수많은 양탄자가 전시되어 있다.

양탄자뿐만 아니다. 소머리 방짜 그릇도 있고, 사리함 비슷한 것도 있고, 조각상도 전시되어 있다.

물론 판매도 한다.

그렇지만 금액은 우리가 상상하기에는 너무 큰 금액이었다.

밖으로 나오니 블루 모스크 옆인데, 바다와 블루 모스크 사이에 가게들이 늘어서 있다.

조그만 시장이 형성되어 양탄자를 비롯하여 머플러, 기념품들을 파는 곳이다.

한군데 들려 주내 머플러를 싸게 샀다.

이스탄불 히포드롬

한국말도 조금 하면서 한국 사람들이 많이 온다며, 한국을 좋아하고 친절을 보이는 아저씨에게 너무 싸게 산 것 아닌가 싶다.

그렇지만 아무리 그래도 밑지지는 않고 팔았을 것이다.

시장 구경을 하고 부지런히 역으로 돌아오니 3시이다.

이스파타쿨레 역으로 가는 차표를 사 가지고 보니 3시 45분 출발이다.

역 앞 주위를 살펴보다가 후식으로 차와 함께 마시는 과자를 몇 개 샀다.

그리고는 역 앞으로 난 길을 건너 그 맞은편 시장을 구경한다.

맞은편 길로 죽 들어가니 저쪽에 매우 큰 사원이 보인다.

작은 사원 안의 관과 카펫

24. 새로움을 발견하는 눈을 가진 것은 축복이다.

블루모스크 뒤편 시장과 옌 자미

사원 앞으로도 조그만 사원이 하나 있어 들어가 본다.

신을 벗고 들어가니 수많은 관들과 관 위를 덮는 카펫들이 전시되어 있다.

사진을 하나 찍고 나와 큰 사원으로 들어간다.

입구에서 보니 다름 아닌 옌 자미(Yen Cami)이다.

처음 이스탄불에 도착했을 때 옆방의 민진이와 함께 전기풍로를 사러 차를 몰고 와 주차할 곳이 없어 쩔쩔맬 때 본 바로 그 사원이다.

그때는 바닷가 쪽에서 겉만 보았기 때문에 우중충한 것만 기억되는데, 이렇게 뒤쪽에서 보니 참으로 대단한 사원이라는 생각이 든다.

이와 같이 사물은 어떠한 상황에서 어느 측면을 보느냐에 따라 느낌

이스탄불 히포드롬

옌 자미

이 달라지는 것이다.

　그러니 한 평생을 사는 부부끼리도 지겨운 측면만 계속 보지 말고 뒤로 돌아가 새로운 면을 계속 발견하여야 한다.

　사실 새로움을 발견할 수 있는 눈을 가진다는 것은 그 자체로 축복이다.

　그것도 늘 좋은 방향으로 생각하며 그 새로움을 해석한다면 더더욱 축복인 것이다.

　바닷가 쪽으로 나와 역으로 가는 길은 역시 지난번 차를 타고 돌던 바로 그 길이다.

　바다 건너로 갈라타 탑이 묵직하게 서 있고, 마르마라 바다가 펼쳐

24. 새로움을 발견하는 눈을 가진 것은 축복이다.

갈라타 탑

진 가운데 커다란 배 너머로 보스포러스 해협을 가로지르는 다리가 보이고 멀리 위스퀴달이 아득하다.

어느새 시간이 이렇게 되었는지 뛰다시피 하여 기차에 몸을 싣는다.

주내는 앞에 앉은 터키 청년에게 말을 건다.

기술 계통의 전문대 학생이라는데 영어를 잘 못한다며 조금 수줍어한다.

그래도 몇 주 터키어 강좌를 들었다고 터키말과 영어를 섞어가며 서로 웃고 떠들다보니 어느덧 이스파타칼레 역이다.

이스탄불 히포드롬

25. 터키인의 특성: 흥과 너그러움

2007.4.8 일

오늘은 아침 일찍 차를 끌고 흑해 쪽으로 가보기로 했다. 이스탄불 북쪽으로 룸멜리 페네리(Rumeli Feneri)라는 곳에 유적이 있어 그쪽으로 차를 몬다.

지도에 보니 킬리요스 유적도 표시되어 있다.

집을 나서면서 고속도로를 피해 국도로 가기로 했다.

국도로 가야지만 터키인들이 어찌 사는지를 좀 더 자세히 볼 수 있다고 생각한 까닭이다.

집에서 동북쪽으로 길을 잡는데 바흐체세히르를 지나니 나타나는 동

언덕 위의 바흐체세히르 시

룸멜리 페네리 유적의 소

네가 빈촌이다.

바흐체세히르가 부자 동네라는 것을 이제야 알겠다.

쓰레기는 쌓여 지저분하고, 담벼락이나 벽들은 변변히 칠을 못한 까닭에 집들이 모두 못사는 티가 줄줄 난다.

게다가 집들이 이런 산꼭대기에 있으니 달동네 아니고 무엇이랴!

방향만 북동쪽으로 잡았으나 가는 길은 쉽지 아니하다.

터키의 도시는 산 위에 위치하고 있을 뿐만 아니라, 다닥다닥 집들이 모여 있고 그 도시 주위로는 담장을 쳐 놓거나 울타리를 쳐 놓은 게 보통이다.

이른 바 도시가 하나의 집이나 마찬가지인 셈이다.

룸멜리 페네리

룸멜리 페네리: 등대

따라서 도시로 들어가는 길은 서너 개가 있는데 입구에는 반드시 경비소가 있으며, 잘 사는 도시에는, 예컨대 바흐체세히르 같은 곳에는, 입구마다 사람이 지키고 있을 뿐만 아니라 감시 카메라가 설치되어 있어 그 도시로 드나드는 차량을 감시하고 있다.

　이런 점에서 보면 도둑놈이 도둑질을 한다 해도 잡기가 쉬울 것 같다.

　아마도 이러한 형태의 도시 유형은 적의 침입을 막고 방어에 유리한 산성에서 모여 생활했던 습관 때문에 생긴 것일 게다.

　이런 점에서 도시와 도시는 산성과 산성의 연결이라고 보면 된다.

　그렇지만 길은 찾기가 쉽지 않다. 도시를 빠져 나가려면 반드시 도시의 입구(출구)로 나가야 하는데, 도시 안은 길이 얽혀 있으나 나가려

25. 터키인의 특성: 흥과 너그러움

는 출입구는 하나인 까닭에 그 하나를 제대로 찾기가 쉽지 않은 까닭이다.

물론 표지판이 없는 것은 아니지만, 그 길이 과연 내가 가려던 방향인가가 분명치 않은 경우가 많고, 설령 맞게 나왔다고 하더라도 산 밑은 둥글기 때문에 길은 굽어져 있기 마련이라서 내가 북동쪽으로 간다하여 반드시 그 길이 북동쪽을 향해 뻗어 있는 것은 아니기 때문이다.

더욱이 멀리 떨어진 최종 목적지만 알고 부근의 어떠어떠한 도시를 거쳐 간다는 것이 확실하지 않은 우리의 경우에는 길이 자세히 나와 있는 상세 지도가 아닌 대충 나와 있는 지도만 보고서는 찾아가기가 만만치 않은 것이다.

룸멜리 페네리 유적의 소

룸멜리 페네리

룸멜리 페네리 유적

이렇게 돌고 저렇게 돌고 그러면서 룸멜리 페네리로 간다.

산꼭대기에서 꼭대기로 이동하면서 이스탄불의 도심을 벗어나자 무성한 숲이 보인다.

목재들을 벌채하여 쌓아 놓은 곳을 지나 내리막길을 가다보니 길은 실종되고 갑자기 골목길이 나타나는데 이곳이 바로 룸멜리 페네리라는 어촌이다.

일단 바닷가 쪽으로 내려간다.

그러나 곧 별 볼일 없다는 것을 알고 다시 올라온다.

등대 옆으로 바다 너머 저쪽 편에 무너진 성이 보인다.

다시 차를 타고 골목을 돌아 그쪽으로 간다.

25. 터키인의 특성: 흥과 너그러움

룸멜리 페네리 마르마라즉 코유(Rumeli Feneri Marmaracık Koyu)라는 표지판을 따라가 차를 세워 놓고 유적으로 들어가는데 꽃이 아름답게 피어 있고 바다 건너편의 룸멜리 페네리 어촌이 평화롭다.

유적에는 소들이 방목되어 한가로이 풀을 뜯고 있고, 놀러온 관광객 몇 명만이 왔다 갔다 한다.

성은 해안 방어를 목적으로 건설된 것이었을 것이나 이제 소가 주인이다.

그래도 성벽만큼은 온건하게 남아 있어 돌아볼 만하다.

성을 안팎으로 둘러보고 나오는데, 뚱뚱한 젊은 여인네가 주내에게 다가와 같이 사진을 찍자 한다.

룸멜리 페네리 유적의 주인은 소

룸멜리 페네리

그리고는 자기 독사진도 찍어 달라며 포즈를 취한다.

양손을 허리에 얹고서 비스듬히 서서는 온갖 폼을 잡는데 얼굴엔 웃음이 활짝이다.

자기가 받아볼 사진도 아닌데 온갖 흥이 나서 폼을 잡는 것이 참 재미있다.

주내와 나와 이 여인네는 그러면서 한참 웃는다.

조금도 어색하거나 부끄러워하지 않는다.

그동안 겪어 본 바에 의하면 터키인들은 낙천적이고 흥이 많은 민족이다.

이들의 전통적인 노랫소리는 음을 질질 끄는 소리여서 축 늘어져 기

룸멜리 페네리에서 만난 여인

25. 터키인의 특성: 흥과 너그러움

룸멜리 페네리 유적

운 빠진 소리처럼 들리건만, 부르는 이나 듣는 이나 이들에게는 전혀 그렇지 아니하다.

흥이 나서 손뼉을 치거나 어깨춤을 추거나 일어나서 온몸을 덩실거리기도 한다.

또한 이들은 매우 관대한 민족인 것 같다.

성질이 불같아서 싸움도 잘하지만 용서도 잘하고 쉽게 잊어버린다.

승부를 보면 그것으로 끝이다.

이긴 자는 진 자를 너그럽게 받아들인다.

그런 점에서 터키인들은 국제화에 성공(?)한 사람들이다.

반면에 옛 돌궐 특유의 독자성은 사라졌겠지만. 이들이 오스만 터키

룸멜리 페네리

194

룸멜리 페네리 유적

제국을 건설하고서도 이질적인 문화와 종교를 모두 너그럽게 포용한 것
은 이들의 선천적인 이런 기질 때문이리라.

　사람도 받아들이고, 그래서 오늘날의 터키인들은 불과 1,500 -
1,600년 사이에 원래 우리와 같던 모습에서 곱슬곱슬한 머리와 하얀
피부의 백인도 아니고 황인도 아니고 아랍인도 아닌 세계화된 지금의
모습으로 바뀐 것이다.

　이와 관련하여 재미있는 건, 이들 중에는 머리에 파마를 하지 않아
도 파마를 한 것처럼 웨이브가 져 있는 사람들도 많은데 이런 사람들은
미장원에 가 우리나라 여인네의 생머리처럼 머리를 편다는 것이다.

　예컨대, 아이쉐의 경우가 그러하다.

25. 터키인의 특성: 흥과 너그러움

아이쉐의 머리카락은 마치 파마를 한 것처럼 아름답게 컬(curl)이 잘 되어 있는데, 어느 날 보니 그것을 생머리처럼 다 펴서 질끈 묶었다.

어제 모처럼 미장원엘 갔다 왔다는 것이다.

우리나라 사람들은 머리를 볶아서 곱슬곱슬하게 하려고 미장원엘 가는데 애들은 정반대의 이유로 미장원엘 간다.

참 재미있는 현상이다.

어찌되었든 미장원에서는 곱슬머리는 펴주고 돈 받고 생머리는 볶아주고 돈 받고…….

그러니 미장원 히면 걸고 망하는 일은 없겠다 싶다.

사람의 욕심이란 자기가 가지지 않은 것을 가지고 싶어 하는 법이다.

룸멜리 페네리에서 나와 지도에 나와 있는 그리스 로마 유적인 킬리요스 유적을 찾아가

킬리요스 유적

룸멜리 페네리

196

는 것도 그렇게 쉬운 것은 아니었다.

그러나 그렇게 그렇게 찾아갔건만 유적이 있는 곳은 군부대가 점령하고 있어 사진도 못 찍게 한다.

이 유적 근방에는 모래사장이 좋아 해수욕장 유명한 것이 하나 있다는 것, 그리고 이곳엔 여관이 많이 있다는 것만 확인하고 발길을 돌린다.

갑자기 해무가 일어 앞이 잘 안 보일 정도로 자욱해진다.

돌아오는 길은 일단 바닷가로 나와 보스포러스 해협을 가로지르는 다리까지 바닷가로 난 도로를 달리기로 했다.

과연 경치가 너무 좋다. 바다 건너의 아시아 땅과 푸른색 바다,

보스포러스 해협: 건너가 아시아

25. 터키인의 특성: 흥과 너그러움

보스포러스 해협: 건너가 아시아

그리고 구불구불 돌아가는 바닷가길이 드라이브하기에는 너무나 좋다.

더구나 이 길은 바다에 바로 면해 있는 부분이 많아 탁 트인 것이 너무나 시원하고 좋다.

다만 오늘이 일요일인지라 나온 차들이 너무 많아 조금 막히기는 하였지만, 경치가 좋은 데서야 막힌들 어떠한가!

그러다가 고속도로 표시가 나와 오른쪽으로 오르막길을 오르다보니 고속도로이고 불과 한 30분 만에 집에 도착한다.

오늘 소풍은 이것으로 끝이다.

룸멜리 페네리

26. 좋은 방은 권력 순이다.

2007.6.22 금

날씨가 무척 더워졌다. 그러나 바람만은 시원하다.

연구실에 출근하여 방을 옮긴다. 5개월 있는 동안 방을 4번째 옮기는 것이다.

처음 2월 말에 왔을 때에는 연구실을 8-9명의 조교들 쓰는 방으로 배정해 주기에 "연구에 집중할 수 없기 때문에"라며 점잖게 거절을 했다.

"공간이 없어 만약 이 방밖에 줄 수 없다면 그냥 기숙사에 남아 있어도 괜찮다."고 했더니 길 건너편의 빌딩 5층에 방을 하나 마련해 주었다.

이 연구실은 오르내리는 것도 운동이라 생각하면 비교적 깨끗하고 조용해서 마음에 드는 곳이었다.

그런데 어느 날인가 출근을 했더니 컴퓨터며, 서류며, 문방구며 모든 것들이 감쪽같이 사라져 버린 것이다.

옆방에 출근하는 처녀에게 물어 보았더니, 이곳저곳에 전화를 하고는 하는 말이 "방을 옮겼다."는 것이다.

아니 아무리 자기네 건물이라지만 나에게는 말 한 마디 없이 자기들 멋대로 짐을 옮기다니! 참으로 기막힌 일이었다.

알아보니 새 연구실로 언덕 쪽에 있는 또 다른 학교 건물 2층(터키에서는 0층부터 시작하니 이곳 식으로는 1층이다)으로 옮겨야 한다는 것이다.

바흐체세히르 연구실

이 건물은 대학 진학을 위해 이 대학에서 개설한 영어학교로 쓰는 건물이었다.

2층이라서 오르내리기가 편하나 길가인데다가 공기가 안 좋고, 또한 학생들 때문에 쉬는 시간만 되면 너무나 시끄러운 게 흠이었다.

다만 에어컨이 달려 있어 그것만은 괜찮았다.

일단 아이세(이 학교 대외관계처 직원)에게 "연구실 옮길 때에는 사전에 이야기를 해 주어야지 필요한 서류를 챙길 것 아니냐?"며 "이 다음부터는 반드시 미리 이야기를 해주기 바란다."라고 공식적으로 항의를 하였다.

아이세 역시 아무 것도 모르고 있었다며 진심으로 미안해한다.

이스탄불 베식타쉬

바다가 보이는 연구실

하긴 아이세 잘못은 아니니……

여하튼 터키인들은 못 말리는 사람들이라는 것을 느낀다.

이곳엔 그래도 꽤 있었다.

6월 초순이 되어 방학을 하여 이제 조용하니 좀 살만하다 싶었는데 방을 옮겨야 한단다.

지난 번 강력하게 항의를 해서 그랬는지 이번엔 공식적으로 아이세를 통하여 통보가 왔다.

본부 쪽, 아이세 등 대외교류처 직원들이 있는 건물 3층(우리식으론 4층)으로 옮겨야 한다고.

금요일에 짐을 정리하여 싸 놓고 월요일에는 본부 건물로 출근을 하

26. 좋은 방은 권력 순이다.

였다.

어느 방인지 물어보니 아직 정해지진 않았는데, 몇 개 방들 중 하나일거라 한다.

이왕이면 바다 쪽이 좋겠다고 하면서 기다리는데 직원들이 드디어 내 짐을 가지고 왔다.

방을 고르라 하여 바닷가 경치 좋은 쪽으로 자리를 잡았다.

바로 마르마라 바다와 바다 건너 위스퀴달이 보이는 연구실로서 에어컨도 있고, 조용하고, 경치 좋고, 공기 좋은 정말로 좋은 그런 방이었다.

내 연구실 위층 바로 위에는 이사장실이 있고 그 옆으로는 총장실이

바흐체세히르 연구실

이스탄불 베식타쉬

탁심: 밴드 소리

있다고 한다.

이제야 제대로 사람을 대접해 주는구나 싶었다.

그러나 보름쯤 지난 엊그제 아이세가 오더니 슬픈 뉴스라며 방을 옮겨야 한단다.

옮기라니 옮기는 수밖에 없지만 기분은 별로 좋지 않다.

새로 인사 이동이 있어 전 총장은 우리 옆방으로 오고, 전 학사 담당 부총장이 이 방으로 온다는 것이다.

역시 좋은 방은 한국이나 터키나 권력순이다.

아이세 방 역시 저쪽 길거리 쪽으로 옮겨야 한다고 한다.

새 방은 경치 좋은 방에서 불과 5미터 정도 떨어진, 경치는 꽝인

26. 좋은 방은 권력 순이다.

건물 한 가운데 있는 방이다.

그나마 에어컨이 있으니 다행이다.

이제 보름만 있으면 별로 이용하지도 않을 텐데…….

그렇지만 후임 교환교수를 위해서라도 공식적으로 한 마디 해두었다.

"연구 공간이 좁고, 학교 계획에 따라 공간 이동이 있는 것은 있을 수 있으나, 한 학기에 네 번이나 방을 옮긴다면 되겠는가? 이건 좋지 않은 일이다."

짐을 옮긴 다음 일이 손에 잡히지 않는다.

머리를 깎고 빈들빈들 컴퓨터를 통해 신문만 보다가 5시에 무라트와 함께 탁심으로 간다.

탁심에서 저녁을 먹고 갈라타 탑에 가 야경을 보고 버스를 타고 돌아오는 여정이었다.

탁심의 식당에서 식사를 한 후 걸어서 갈라타 탑으로 가는데 치이는 것이 사람들이다.

웬 사람들이 이리 많은지 모르겠다.

우리나라의 명동거리와 같다.

갈라타 탑 앞쪽으로 내려가는 데 웬 밴드 소리가 난다.

보니 무선 인터넷 개통을 선전하는 밴드대의 연주소리이다.

이스탄불 베식타쉬

27. 갈라타 탑의 전망: 보일 건 다 보인다.

2007.6.22 금

언덕을 내려가다 보니 오른쪽으로 잘 생긴 육중한 갈라타 탑이 서

있다.

갈라타 탑 앞의 노천 카페에서 차를 한 잔 마신다.

하늘에는 제
비들 수십 마리
가 선회를 한다.
차를 마시고
나니 8시 가까
이 되었다.
언덕 밑으로
더 내려가 갈라
타 다리까지 갔
다 온 다음 탑
위에 올라 야경
을 보면 좋을
것이라고 생각
하였는데, 무라
트 이야기로는
갈라타 탑 입장
이 8시에 끝난

갈라타 탑

갈라타 탑에서 본 톱카프 궁전

다고 한다.

일단 탑에 가서 물어보기로 하였다.

입장료 내는 곳에서 무라트는 학생증을 나는 신분증을 내미는데, 담당 직원과 무라트가 한참 이야기를 하더니 직원 신분증을 보여준다.

그러자 그냥 들어가라 한다.

나중에 들으니 바흐체세히르 대학 학생이란다.

같은 학교 학생과 직원, 교수 사이이니 그냥 들어가시라고 한 거다.

역시 터키는 터키이다.

또한 자세히 보니 입장료에는 학생 할인이 안 된다고 되어 있다.

갈라타 탑은 높이가 68m이지만 언덕 위에 있어서 실제의 높이는

이스탄불 갈라타 탑

더 높아 보이는 탑이다.

갈라타 탑은 무라트 말대로 저녁 8시에 문을 닫지만 관람은 8시 30분까지 할 수 있다.

무라트 말로는 이 탑은 이스탄불 시내 어디에서 불이 나는지를 감시한 탑이라 한다.

엘리베이터를 타고 7층으로 오르니 식당이 있고 그 옆으로는 오르는 계단이 있다.

계단을 오르니 역시 또 다른 식당이다.

식당에서는 9시 반부터 전통무용을 한다고 광고가 되어 있다.

다시 한 번 와 봐야겠다.

예니 사원 야경

27. 갈라타 탑의 전망: 보일 건 다 보인다.

갈라타 탑에서 본 갈라타 다리

아마 밤에는 전망대로 나갈 수 없으니 바깥쪽 자리에 앉으면 식사를 하면서 쇼도 보고, 야경도 볼 수 있을 것이다. 좀 비싸기는 하겠지만.

식당 옆문을 통해 밖으로 나가니 이곳이 바로 전망대이다.

전망대는 약 1.5미터 정도의 넓이이고, 그 밖에는 철책이 둘러져 있어 안전하기는 하나 바로 철책 앞이 뚝 떨어진 밑이어서 아찔하기도 하다.

붉은 지붕의 숲과 가끔가다 높은 현대식 빌딩으로 이루어진 이스탄불 시내가 보이고, 보스포러스 다리가 저 멀리 보이고, 마르마라 바다와 아시아 땅도 보이고, 톱카프 궁전과 소피아 성당, 그리고 블루 모스크도 보이고, 앞 쪽으로는 갈라타 다리와 바다 건너 예니 사원도 보인다.

이스탄불 갈라타 탑

갈라타 탑에서 본 일몰

서쪽으로는 해가 지고 있다.

햇빛이 강렬하여 앞의 집들은 실루엣으로만 나타나지만 그것이 더 멋있다.

정말 전망은 볼만하다. 야경은 아니지만…….

한 30분쯤 경치를 감상하다가 내려온다.

이제 언덕을 내려가 갈라타 다리로 간다.

갈라타 다리 쪽으로 가는 길은 마치 남포동 길을 걷는 기분이 든다.

다리 쪽으로 가는데 영락없이 옛 영도다리 쪽으로 가는 기분이다.

무라트 말로는 배가 지나갈 때 이 다리 가운데가 올라간다고 한다.

이것 역시 옛날 영도다리랑 똑같다.

27. 갈라타 탑의 전망: 보일 건 다 보인다.

어찌 이리 비슷한 기분이 드는지 모르겠다.

갈라타 다리 오른쪽으로는 어물전이 있는데 파장을 서두르고 있다.

어물전에서 버리는 생선 찌꺼기를 먹으려고 갈매기들이 떼로 몰려와 군무를 춘다.

다리 밑으로는 음식점들이 휘황찬란하다.

이곳저곳에 불이 들어오고 갈라타 납은 꼭대기 부분만 보인다.

갈라타 다리 옆 어물전

다시 탁심으로 올라가 10시 급행버스를 타야 바하체세히르로 갈 수 있다 한다.

오르는 길은 무릎에 무리가 되니--요사이 갑자기 무릎에 약한 통증이 온

갈라타 다리 밑 식당가

이스탄불 갈라타 탑

다.--타고 가야 되겠다 했는데 갈라타 탑으로 오르는 기차가 있다 한다.

기차를 타고 올라가니 다행이다.

기차는 모르는 사람들은 모르겠다. 타는 곳도 건물 안이고 움직이는 것도 굴속이다.

오스만 터키 때 만든 것이라 한다.

갈라타 탑에서 탁심 광장까지는 슬슬 걸어가면 된다.

벌써 네온사인이 번쩍이고 주위는 컴컴하다.

그러나 사람들은 여전히 많다.

오늘이 주말이라서 그런 모양이다. 길거리에 한쪽에서는 거리의 악사가 바이올린, 기타, 생황 등을 연주하고 있다.

갈라타 다리 옆 어물전

27. 갈라타 탑의 전망: 보일 건 다 보인다.

금요일의 탁심 거리

역시 사람들이 많이 모이는 거리는 즐겁다.

탁심 광정에서 버스 시간표를 보니 마지막 버스는 10시 20분이다.

9시 45분인가에도 급행버스가 있었는데 이럴 줄 알았으면 조금만 일찍 오는 건데……

10시 20분 버스를 타고 바하체세히르에 내리니 11시가 조금 지났다.

기숙사에 왔는데 문이 잠겨 있다.

지키는 직원이 문을 잠그고 자는 것인지?

아무리 두드려도 소식이 없다.

무라트도 전화를 받지 않는다.

이스탄불 탁심

212

탁심의 연주자

참으로 난감하다.

옆의 식당에 가 물어보니 영어가 안 통한다.

한 분이 자기 아들에게 전화를 하고 그리고는 전화기를 바꾸어 준다.

이야기를 했더니 식당 직원에게 뭐라뭐라 한다.

식당 직원이 뛰어가더니 결국 기숙사 직원을 데려온다.

물어보니 기숙사에서 200미터 정도 떨어진 바흐체세히르 문--이곳 터키는 도시마다 들어가는 문이 있고 그곳을 지키는 경비원이 있다—에 마을가 있었던 것이다.

27. 갈라타 탑의 전망: 보일 건 다 보인다.

28. 남는 사람이 더 허전한 법

2007.6.24 일

이제 학기가 끝나 학교가 한가하다.

기숙사의 학생들도 하나 둘 고향으로 떠나기 시작한다.

파키스탄에서 온 학생 둘이 제일 먼저 떠났고 뒤를 이어 폴란드에서 온 학생들, 한국에서 온 학생들이 하나 둘씩 기숙사를 비운다.

이들은 떠나기 전 서로 모여 사진을 찍고 이메일을 주고받는다.

기숙사를 지키는 직원도, 청소해주던 아줌마도, 식당에서 일하는 아저씨들도 모두 이별을 슬퍼한다. 그 동안 정이 든 게다.

기숙사 학생들

이스탄불 바흐체세히르

기숙사 야경

일반적으로 터키인들은 흥도 많지만 정도 많다.

애별리(愛別離)가 인생 팔고(八苦: 사람이 살아가는데 겪기 마련인 생,
노, 병, 사, 애별리, 원증회, 구불득, 오취온의 여덟 가지 고통) 중의 하나인
만큼 어쩔 수 없는 것을……

그렇다고 집착에서 벗어나 이별을 슬퍼하지 않고 덤덤해 한다면 그
게 어디 인간일까?

그런 것이 아마도 고통에서 벗어난 해탈은 아닐 것이다.

그런 사람이야 없겠지만 만약 그러하다면 그것은 각박한 심성에서
비롯된 것으로 매도되어도 할 말이 없을 것이다.

그저 슬프면 슬픈 대로 기쁘면 기쁜 대로 인간 세상에서 누리는 그

28. 남는 사람이 더 허전한 법

대로 그러면서 또 잊고 그렇게 사는 것이 가장 인간다운 것 아닐까?

터키인들은 이런 점에서 볼 때 매우 인간적이다.

잘 싸우고, 화도 잘 내고, 그러면서 용서도 잘하고, 잘 웃고, 잘 울고, 그리고는 또 잘 잊고, 참으로 감성에 충실한 아니 인성(人性)에 충실한 민족이다.

그래도 가는 사람보다는 남는 사람이 더 허전한 법이다.

가는 사람은 앞으로 부딪칠 새로운 환경과 새로운 미래에 대한 설렘 때문에 출발하면 애별리의 슬픔을 곧 잊어버리지만, 남는 사람은 간 사람의 텅 빈 자리가 함께 하기 때문이다.

> 미련이 남아 있어 가신 님 슬퍼하나
> 설레어 떠난 님은 잊은 채 말이 없네
> 허전함 가슴에 품고 잘 되기를 바라네
>
> 그리움 품에 안고 님 생각 암만 혀도
> 떠난 님 무정하게 새 인연 쌓는다네
> 두어라 얽히고설킨 인생이라 카더라

마침 오늘은 토요일 기숙사 뒤 정원에선 결혼식이 한창이다.

결혼식의 흥겨움이 학생들이 떠난 빈 공간을 대신한다.

터키인들의 결혼식은 저녁 때 이루어지는 것이 보통인데, 예식과 함께 피로연까지 보통 밤 12시까지 계속된다.

여기에는 유명 가수를 초대하여 중간 중간에 노래를 부르게 하고, 불꽃놀이도 하며, 손님들이 나와 흥에 겨워 춤을 추기도 한다.

이스탄불 바흐체세히르

불꽃놀이

28. 남는 사람이 더 허전한 법

터키인들의 결혼식

물론 잘 사는 사람들의 결혼식이니 그렇겠지만, 시끌벅적 그야말로
잔치이다.

밤 12시를 넘어서까지 마이크를 놓지 않고 부르는 고성방가(高聲放
歌) 소리며 불꽃놀이에 들려오는 폭음 소리며 엄청 시끄럽기도 하고 요
란하다.

한편으로는 흥겹기도 하겠지만 그건 저들 입장이고, 잠 좀 자려는
동네 사람에게는 그야말로 소음 공해인 셈인데 불평하거나 항의하는 사
람이 없는 것을 보면 신기할 정도이다.

그 어떤 것도 모두 다 터키인들의 관용 속에 용해되는 것이다.

옛날 우리들 인심처럼 넉넉한 것이 터키인들이 심성인 것이다.

이스탄불 바흐체세히르

29. 룸멜리 요새

2007.7.10 화요일

오늘은 룸멜리 요새를 가 보기로 했다.

이스탄불에 있으면서도 무엇이 바쁜지 쿠축수(Kuchuksu) 궁전과 룸멜리 요새, 그랜드 바자르 등도 제대로 못 보았기 때문에 오늘은 만사 제쳐놓고 출근하자마자 연구실에 가방을 던져 놓고 이메일을 체크한 다음 무조건 버스를 타고 룸멜리 요새로 향한다.

3월 달에 7만원어치 버스표를 끊은 것조차도 한두 번 써 보았을까? 거의 전액이 그대로 남아 있다.

터키 시내버스

룸멜리 히사르

    학교 앞에서 버스를 타고 보스포러스 해안을 따라 가는 길은 참 아름답다.

    룸멜리 요새가 어디에 있는지를 대충 알기 때문에 어디에서 내려야 하는지도 대충 짐작할 수 있으나 버스 속이 시원하고 바깥으로 내다보이는 경치도 좋아 버스 종점 끝까지 갔다가 되돌아오기로 했다.

    해안가 경치에서 벗어나 누추하고 좁은 골목길로 들어서서 얼마 안 가 버스 종점에 이르렀다.

    룸멜리 요새는 왼쪽 차창 밖 언덕 위에 보인다.

    버스 기사 아저씨는 우리보고 여기가 종점이라며 어디가려고 한 것이냐 묻는다.

이스탄불 룸멜리 히사르

룸멜리 히사르

'룸멜리 히사르'라고 하니까 거기는 지나왔다며 다시 버스를 타고 나가라고 일러준다.

아마도 우리가 내릴 곳을 놓친 줄 아는 모양이다.

지금 타고 온 버스는 한참 쉬었다 가야 한다며 곧 출발할 버스까지 데려다 주고는 버스 기사에게 내릴 곳을 일러준다.

역시 참 친절하다.

공짜로 다시 버스를 타고 나와 룸멜리 요새에 내린다.

요새의 문을 들어가니 바람이 시원하다.

룸멜리 히사르(Rummeli Hisarı)는 술탄 메흐메드(Sultan Mehmed) 2세가 보스포러스 해협 가운데 가장 좁은 지역의 유럽 쪽

29. 룸멜리 요새

산등성이에 세운 요새로서 보스포러스 해협을 지나는 배들을 감시 통제하고, 유럽 쪽 이스탄불을 공략하기 위해서 1452년 4월부터 8월 사이에 세운 것이라 한다.

서양과 동양으로 이어진 저 물길을
오늘도 굽어보며 당당히 서 있구나
속살엔 평화를 담고 옛터만을 남긴 채

룸멜리 요새는 다섯 개의 큰 문이 있고, 성벽의 높이는 5-15미터이다.

성벽 위에는 여러 가지 형태로 지어 놓은 15개의 작은 탑들에 의해

룸멜리 히사르

이스탄불 룸멜리 히사르

분리된 길들이 있다.

바다 쪽의 사루자 탑(Saruca Pasha)은 7층으로 되어 있는데, 높이가 28미터, 폭이 28.3미터, 두께가 9미터이며, 남서쪽을 감시하는 자가노스 탑(Zaganos pasha)은 5층이고, 높이가 28미터, 폭이 28.3미터, 두께가 6.8미터이다.

찬다를르 하일탑(Candarlı Hail Pasha)은 지하 저장고를 포함하여 8층으로 구성되어 있고, 높이가 33미터, 폭이 22미터이며, 두께가 6.5미터이다.

요새 중앙에는 에불페트흐(Ebulfeth) 모스크가 세워졌는데 1907년에 불 타 붕괴되어 현재 터만 남아 있고 그 옆에는 자그마한 원형 경기장이 남아 있다.

불과 4개월 만에 이와 같은 요새를 건설하였다니 참으로

룸멜리 히사르: 옛 모스크 터

29. 룸멜리 요새

룸멜리 히사르

이스탄불 룸멜리 히사르

룸멜리 히사르

대단하다는 생각이 든다.

요새 안에는 살구나무, 잣나무, 자두나무 등이 있는데 그 열매들이 탐스럽다.

노란 살구와 빨간 자두는 익어서 많이 떨어져 있다. 주워서 먹어보니 달고도 맛이 있다.

29. 룸멜리 요새

30. 조금 모자라는 것이 더 좋은 것 아닐까?

2007.7.16 월요일

이제 터키를 떠날 날도 며칠 남지 않았다.

아침에 출근하자 바로 배를 타고 아시아 쪽으로 건넌다.

보스포러스 때문에 이스탄불은 아름답다. 아시아 쪽을 보나 유럽 쪽을 보나 보스포러스를 가로지르는 다리를 보나 저 멀리 톱카프 궁전 쪽을 보나 바다에서 보면 모두 아름답다. 이래서 이스탄불이 아름답다고 하는 모양이다.

떠나려는 날이 가까워 올수록, 아름답게 느껴지는 이유는 무엇일까? 첫눈에는 달동네만 보이드만……

유럽과 아시아를 잇는 보스포러스 다리

이스탄불 큐츄수 궁전

유럽과 아시아를 잇는 보스포러스 다리

바다를 건넌 후 다시 버스를 탄다.

바다 건너 아시아 쪽에는 작은 내라는 뜻의 큐츄수 카사르(Kuçusu Kasarı)라는 이름의 조그마한 아름다운 궁전이 있다는데 이는 보고 가야 하겠기에 오늘 날을 잡은 것이다.

'큐츄'는 '작다'는 뜻이고 '수'는 한자의 수(水)와 같은 말로서 '물'을 뜻한다.

이 작은 내는 굽이쳐 보스포러스로 들어가는 까닭에 곡수 궁전이라고 부르기도 한다는데 19세기 중엽 압둘 메지드 1세가 지은 것으로서 여름 별장으로 사용되어 왔다 한다.

이 이외에도 19세기에 술탄 압둘 라지즈가 대리석으로 지은 베이레

30. 조금 모자라는 것이 더 좋은 것 아닐까?

르베이(Beylerbey) 궁전도 이쪽에 있는데 목련을 많이 심은 정원으로 유명하며 역시 술탄의 여름 별장으로 사용되어 왔으며 영빈관으로도 사용되었다 한다.

버스를 타고 가다보니 베이레르베이 표지판이 보이고, 보스포러스 다리 밑을 지나 계속 가다 보니 엊그제 룸멜리 요새 쪽에서 바라보던 바다 건너의 아름다운 건물이 있는 곳에 큐츄수 카사르 표지판이 보인다.

버스에서 내려 큐츄수 카사르 표지판을 따라 자그마한 궁전의 입구에 다다른다.

일단의 순경들이 완전부장을 한 재 앉아 있다가 오늘은 휴관이라머

큐츄수 궁전

이스탄불 큐츄수 궁전

손을 내젓는다.

아차! 오늘이 월요일이구나.

터키에서는 월요일과 목요일에는 대부분의 박물관이나 궁전들이 휴관하는 것을 깜빡한 것이다.

그렇지만 일주일에 하루만 쉬어도 될 것을 왜 이틀씩이나 휴관을 하는지 그 이유는 모르겠다.

할 수 없이 건물 외관만 사진기에 넣고는 돌아설 수밖에 없다.

바다 건너로는 룸멜리 요새가 보인다.

베르레르베이 궁전 역시 휴관일 것은 분명하다.

완전히 날을 잘못 잡았다.

바다 건너 보이는 룸멜리 히사르

30. 조금 모자라는 것이 더 좋은 것 아닐까?

우스크달의 모스크 안 샘

오늘이 월요일인줄 알았더라면 주내가 그렇게 원하던 3,000여개의 상점들이 밀집해 있는 그랜드 바자르나 가는 건데……

결국 아무 데도 제대로 구경하지 못한 셈이다.

돌아오는 버스를 타고 우스크달에서 내려 길 건너의 모스크나 구경하고 가야겠다 싶어 길을 건넌다.

어느 모스크나 비슷하다. 건물 외양, 내부의 경건함과 밝음, 그리고 내부로 들어가기 전에 손발을 씻는 샘이 있는 내원 등등 모두가 비슷하다.

샘 옆에는 그 그림자에 의지하여 한 노인네가 앉아 세월을 낚고 있다.

이스탄불 큐츄수 궁전

아쉬움을 뒤로 하고 배를 타고 바다를 건넌다.

100퍼센트보다는 조금 모자라는 것이 더 좋은 것이라는 생각으로 위안을 삼는다.

사람의 욕심은 끝이 없는 것.

그러니 꽉 채우려 하지 말라.

꽉 채웠다 싶으면 욕심이란 놈은 어느덧 더 커져 있으니, 그것에 얽매어 살다 보면 나 자신을 잊게 되고, 나 자신을 잊어버린다면 채움이 무슨 소용이 있겠는가?

세상살이에서 나 자신을 돌볼 여유만큼은 남겨 놓고 욕심을 채워야 하는 법이다.

그러니 조금쯤 아쉬운 것은 기대로 채우면 되는 것이다.

때로는 상상이 더 아름다운 것을!

〈터키 여행기 2: 잊혀 진 세월을 찾아서〉로 계속

30. 조금 모자라는 것이 더 좋은 것 아닐까?

책 소개

★ 여기 소개하는 책들은 **주문형 도서(pod: publish on demand)**이
므로 시중 서점에는 없습니다. 교보문고나 부크크에 인터넷으로 주문하
시면 4-5일 걸려 배송됩니다.

http//pubple.kyobobook.co.kr/ 참조.

http://www.bookk.co.kr 참조.

여행기

〈러시아 여행기 1부: 아시아 편〉 시베리아를 횡단하며. 부크크. 2019.
국판 칼라. 296쪽. 24,300원. / 전자책 2,500원.

〈러시아 여행기 2부: 쌍 뻬쩨르부르그 / 황금의 고리〉 문화와 예술의
향기. 부크크. 2019. 국판 칼라. 264쪽. 19,500원. / 전자책 2,500원.

〈러시아 여행기 3부: 모스크바〉 동화 속의 아름다움을 꿈꾸며. 부크
크. 2019. 국판 칼라. 276쪽. 21,300원. / 전자책 2,500원.

〈마다가스카르 여행기〉 왜 거꾸로 서 있니? 부크크. 2019. 국판 칼라
276쪽. 21,300원. / 전자책 2,500원.

〈유럽여행기 1: 서부 유럽 편〉 몇 개국 도셨어요? 부크크. 2020. 국판
칼라. 280쪽. 21,900원.

〈유럽여행기 2: 북부 유럽 편〉 지나가는 것은 무엇이든 추억이 되는 거
야. 부크크. 2020. 국판 칼라. 280쪽. 21,900원.

〈북유럽 여행기: 스웨덴 노르웨이〉 세계에서 제일 아름다운 곳. 부크
크. 2019. 국판 칼라. 256쪽. 18,300원. / 전자책 2,500원.

〈유럽 여행기: 동구 겨울 여행〉 집착이 삶의 무게라고.……. 부크크.
2019. 국판 칼라. 300쪽. 24,900원. / 전자책 3,000원.

〈포르투갈 스페인 여행기〉 이제는 고생 끝. 하느님께서 짐을 벗겨 주셨
노라! 부크크. 2020. 국판 칼라. 200쪽. 14,500원. / 전자책
2,500원.

〈미국 여행기 1: 샌프란시스코, 라센, 옐로우스톤, 그랜드 캐년, 데스
밸리, 하와이〉 허! 참, 이상한 나라여! 부크크. 2020. 국판 칼라.
328쪽. 27,700원. / 전자책 3,000원.

〈미국 여행기 2: 캘리포니아, 네바다, 유타, 아리조나, 오레곤, 워싱턴
주〉 보면 볼수록 신기한 나라! 부크크. 2020. 국판 칼라. 278쪽.
21,600원. / 전자책 2,500원.

여행기

〈미국 여행기 3: 미국 동부, 남부. 중부, 캐나다 오타와 주〉 그리움을 찾아서. 부크크. 2020. 국판 칼라. 286쪽. 23,100원. / 전자책 2,500원.

〈멕시코 기행〉 마야를 찾아서. 부크크. 2020. 국판 칼라. 298쪽. 26,600원. / 전자책 3,000원.

〈페루 기행〉 잉카를 찾아서. 부크크. 2020. 국판 칼라. 250쪽. 17,000원. / 전자책 2,500원.

〈남미 여행기 1: 도미니카, 콜롬비아, 볼리비아, 칠레〉 아름다운 여행. 부크크. 2020. 국판 칼라. 262쪽. 19,200원. / 전자책 2,000원.

〈남미 여행기 2: 아르헨티나, 칠레〉 파타고니아와 이과수. 부크크. 2020. 국판 칼라. 270쪽. 20,400원. / 전자책 2,000원.

〈남미 여행기 3: 브라질, 스페인, 그리스〉 순수와 동심의 세계. 부크크. 2020. 국판 칼라. 252쪽. 17,700원. / 전자책 2,000원.

〈일본 여행기 1: 대마도 규슈〉 별 거 없다데스! 부크크. 2020. 국판 칼라. 202쪽. 14,600원. / 전자책 2,000원.

〈일본 여행기 2: 고베, 교토, 나라, 오사카〉 별 거 있다데스! 부크크. 2020. 국판 칼라. 180쪽. 13,700원. / 전자책 2,000원.

책 소개

〈중국 여행기 1: 북경, 장가계, 상해, 항주〉 크다고 기 죽어? 교보문고 퍼플. 2017. 국판 211쪽. 9,000원. / 부크크. 전자책 2,000원.

〈중국 여행기 2: 계림, 서안, 화산, 황산, 항주〉 신선이 살던 곳. 교보문고 퍼플. 2017. 국판 304쪽. 11,800원. / 부크크. 전자책 2,000원.

〈타이완 일주기 1: 타이베이, 타이중, 아리산, 타이나, 가오슝〉 자연이 만든 보물 1. 부크크. 2020. 국판 칼라. 208쪽. 14,900원. / 전자책 2,000원.

〈타이완 일주기 2: 헌춘, 컨딩, 타이동, 화롄, 지룽, 타이베이〉 자연이 만든 보물 2. 부크크. 2020. 국판 칼라. 166쪽. 13,200원. / 전자책 1,500원.

〈태국 여행기: 푸켓, 치앙마이, 치앙라이〉 깨달음은 상투의 길이에 비례한다. 교보문고 퍼플. 2018. 국판 202쪽. 10,000원. 부크크 전자책 2,000원.

〈동남아 여행기 1: 미얀마〉 벗으라면 벗겠어요. 교보문고 퍼플. 2018. 국판 302쪽. 11,800원. / 부크크. 전자책 2,000원.

〈동남아 여행기 2: 태국〉 이러다 성불하겠다. 교보문고 퍼플. 2018. 국판 212쪽. 9,000원. / 부크크. 전자책 2,000원.

여행기

〈동남아 여행기 3: 라오스, 싱가포르, 조호바루〉 도가니와 족발. 교보문
고 퍼플. 2018. 국판 244쪽. 11,300원. / 부크크. 전자책 2,000
원.

〈동남아시아 여행기: 수코타이, 파타야, 코타키나발루〉 우좌! 우좌! 부크
크. 2019. 국판 칼라 234쪽. 16,200원. / 전자책 2,000원.

〈인도네시아 기행〉 신(神)들의 나라. 부크크. 2019. 국판 칼라 132쪽.
12,000원. / 전자책 2,000원.

〈중앙아시아 여행기 1: 카자흐스탄, 키르기스스탄〉 천산이 품은 그림.
부크크. 2020. 국판 칼라 182쪽. 13,800원. / 전자책 2,000원.

〈중앙아시아 여행기 2: 카자흐스탄, 키르기스스탄〉 천산이 품은 그림 2.
부크크. 2020. 국판 칼라 180쪽. 13,700원. / 전자책 2,000원.

〈조지아, 아르메니아 여행기 1〉 코카사스의 보물을 찾아 1. 부크크.
2020. 국판 칼라 184쪽. 13,900원. / 전자책 2,000원.

〈조지아, 아르메니아 여행기 2〉 코카사스의 보물을 찾아 2. 부크크.
2020. 국판 칼라 182쪽. 13,800원. / 전자책 2,000원.

〈조지아, 아르메니아 여행기 3〉 코카사스의 보물을 찾아 3. 부크크.
2020. 국판 칼라 192쪽. 14,200원. / 전자책 2,000원.

〈터키 여행기 1: 이스탄불 편〉 허망을 일깨우고. 부크크. 2021. 국판 칼라 250쪽. 17,000원. / 전자책 2,500원.

〈터키 여행기 2: 트로이, 에베소, 파묵칼레, 괴뢰메 등〉 잊혀버린 세월을 찾아서. 부크크.. 2021. 국판 칼라 272쪽. 20,700원. / 전자책 2,500원.

〈시리아 요르단 이집트 기행〉 사막을 경험하면 낙타 코가 된다. 부크크. 2021. 국판 칼라 290쪽. 23,400원. / 전자책 2,500원.

우리말 관련 사전 및 에세이

〈우리 뿌리말 사전: 말과 뜻의 가지치기〉. 재개정판. 교보문고 퍼플. 2020. 국배판 916쪽. 75,500원. /전자책 20,000원.

〈우리말의 뿌리를 찾아서 1〉 코리아는 호랑이의 나라. 교보문고 퍼플. 2016. 국판 240쪽. 11,400원. / e퍼플. 2019. 전자책 247쪽. 4,000원.

〈우리말의 뿌리를 찾아서 2〉 아내는 해와 같이 높은 사람. 교보문고 퍼플. 2016. 국판 234쪽. 11,100원.

우리말 관련 사전 및 에세이

〈우리말의 뿌리를 찾아서 3〉안데스에도 가락국이……. 교보문고 퍼플. 2017. 국판 239쪽. 11,400원.

수필: 삶의 지혜 시리즈

〈삶의 지혜 1〉근원(根源): 앎과 삶을 위한 에세이. 교보문고 퍼플. 2017. 국판 249쪽. 10,100원.

〈삶의 지혜 2〉아름다운 세상, 추한 세상 어느 세상에 살고 싶은가요? 교보문고 퍼플. 2017. 국판 251쪽. 10,100원.

〈삶의 지혜 3〉정치와 정책. 교보문고 퍼플. 2018. 국판 296쪽. 11,500원.

〈삶의 지혜 4〉미국의 문화와 생활, 부크크. 2021. 국판 270쪽. 15,600원.

〈삶의 지혜 5〉세상이 왜 이래? 부크크. 2021. 국판 248쪽. 14,800원.

〈삶의 지혜 6〉삶의 흔적이 내는 소리. 부크크. 2021. 국판 280쪽. 16,000원.

기타 전문 서적

〈4차 산업사회와 정부의 역할〉부크크. 2020. 152 * 225. 84쪽.
8,200원. ISBN 9791137209473 / 전자출판. 2,000원.

〈4차 산업시대에 대비한 사회복지정책학〉교보문고 퍼플. 2018.
152 * 225. 양장 753쪽. 42,700원. ISBN 9788924056594

〈사회과학자를 위한 아리마 시계열분석〉교보문고 퍼플. 2018. 258
쪽. 국판. 10,100원. ISBN 9788924056273

〈회귀분석과 아리마 시계열분석〉한국학술정보. 2013. 152 * 225.
188쪽. 14,000원. ISBN 9788926846438(8926846431) / 전
자책 8,400원.

〈사회복지정책론〉송근원 김태성 공저. 나남. 2008. 153 * 224.
ISBN9788930033688(8930033687) 424쪽. 16,000원.

〈선거공약과 이슈전략〉한울. 1992. 국판 206쪽. 5,500원. ISBN
9788946020153(8946020156)

지은이 소개

- 송근원
- 대전 출생
- 전 경성대학교 교수, 법정대학장, 대학원장.
- e-mail: gwsong51@gmail.com
- 여행을 좋아하며 우리말과 우리 민속에 남다른 애정을 가지고 있음.
- 저서: 세계 각국의 여행기와 수필 및 전문서적이 있음